科尔尼论丛（总第42期）

ATKearney

洞察天下　决胜未来

以突破迎接变化

贺晓青　主编

中国财富出版社

图书在版编目（CIP）数据

以突破迎接变化 / 贺晓青主编 .—北京：中国财富出版社，2014.8
（科尔尼论丛）
ISBN 978-7-5047-5248-2

Ⅰ.①以… Ⅱ.①贺… Ⅲ.①产业结构调整 - 研究 - 中国 Ⅳ.① F121.3

中国版本图书馆 CIP 数据核字（2014）第 129985 号

2014 年科尔尼版权所有。A.T. Kearney® 为科尔尼注册服务商标，未经版权所有人书面许可，本书任何部分均不得以任何形式复制及传播。有关资料索取、文章引用及其他相关事宜，请联系我们的市场部工作人员。

策划编辑	王宏琴	责任印制	何崇杭
责任编辑	白昕 颜学静	责任校对	饶莉莉

出版发行	中国财富出版社		
社　　址	北京市丰台区南四环西路 188 号 5 区 20 楼	邮政编码	100070
电　　话	010-52227568（发行部）	010-52227588 转 307（总编室）	
	010-68589540（读者服务部）	010-52227588 转 305（质检部）	
网　　址	http://www.cfpress.com.cn		
经　　销	新华书店		
印　　刷	上海秋雨文化印刷有限公司		
书　　号	ISBN978-7-5047-5248-2 /F·2176		
开　　本	787mm×1092mm 1/16		
印　　张	7	版　次	2014 年 8 月第 1 版
字　　数	242 千字	印　次	2014 年 8 月第 1 次印刷
印　　数	0001—3000 册	定　价	30.00 元

版权所有·侵权必究·印装差错·负责调换

主编寄语

2014年是不平凡的一年。全球的经济大格局将在动荡中走向新的均衡，中国的经济也将在内外因素的交替推动下走上艰难的转型图变之路。

这种变化不仅仅是为了顺应形势，更是整个中国经济发展到了特定阶段所必需的脱胎换骨。同样，中国的企业也已到达需要突破瓶颈另辟蹊径的转折点。当习以为常的市场高速发展已经成为历史之时，便是大多数中国企业需要重新思考寻求突破之日，而国内外经济的持续动荡不过是加速了这个必然的过程，并使挑战更紧迫而已。无论是因为外部危机引起的突破和转型的需求，还是因为内部重新定位的需要而出现的变革呼声，都预示着今年对大多数企业而言将会是变化乃至动荡的一年。

大凡动荡之际，也是大浪淘沙之时。

经济下行压力之下，往往是检验企业的运营体系和管理模式优劣的关键时刻，而具有前瞻性思维和果断的企业家则将在这场决定企业未来命运的转型中起到极其关键的作用……

为了激励那些有志于世界之巅的中国企业家，2014年我们选择了"突破"作为全年4期科尔尼论坛的主题。我们深信中国企业中的佼佼者将成为全球领导者，并对那些引领中国企业走上转型之路的企业家们满怀崇敬，而此刻我们更对即将到来的中国经济转型以及中国企业的持续升级充满期待，因为这将造就一批未来拥有充分国际竞争力的中国企业和企业家。突破是需要勇气的，志在带领企业走入一个全新境界的企业家首先需要突破的是自身的思维局限。衷心希望我们刊物里有关企业转型求变的文章和思考能够成为助推突破的优等燃料。

贺晓青
科尔尼全球合伙人

编委会
主　编：贺晓青
成　员：
李　健　胡月丽
谢　意
译　校：
战士慧　郭中月
版式设计：
高伟森　何浏清

编辑寄语

亲爱的读者，您好。本期是2014年的首刊，我们将跟您一起探讨如何在变化的市场环境中寻找突破的机会。

我们一直处在变化的市场当中，变化的目标市场，变化的市场动态，变化的客户群，新的科学技术，新一类的竞争对手……变化是个不变的主题。这其中有些变化是由企业主导的，但更多的情况是企业"被动"的、需要面对的变化，这些"被动"的变化给传统企业带来挑战，但同时也是寻求突破的好机会。

近期一个显著的市场变化就是电子商务的快速发展。网购和移动购物的兴起对传统的实体零售终端最直接的影响是实体店的店效下降和利润下滑。这是否意味着实体店将走向穷途末路？我们将在**重塑全渠道时代的零售店**中帮助大家分析实体零售终端及其网络在当今零售生态系统中应当担当的角色，并探讨如何发挥实体店的作用，从而在"全渠道"的商业模式上实现突破。大件家电和家具的网购给过去以轻、小件为主的宅配服务带来了新的挑战，这种影响甚至波及物流行业相对成熟的美国。由科尔尼美国的物流咨询团队所撰写的"**改革大件宅配服务，实现业务突破**"将探讨一下在美国，行业专家们是如何构想大件宅配服务的业务模式突破的。电子商务不受地理局限的特点，使国际电子商务同样快速增长。科尔尼最新推出了**2013科尔尼全球零售电子商务指数**，又一次对全球的电子商务市场进行扫描，而且此次将范围扩展到排名前30位的发展中国家和发达国家市场。这份指数报告分类别分析了所研究国家的电子商务活跃程度、成熟度和潜力，希望对志在国际电子商务市场一展拳脚的中国企业提供参考。

电子商务所带来的变化不仅发生在零售业，它同时也给传统的银行业带来了新的契机，相信大家对前期中国传统银行和一些新兴的网上金融产品提供者之间的争论还记忆犹新。世界各传统银行都在积极推动内外部的数字化发展。我们本期文章**数字化时代的银行业发展**将向您展示目前传统银行的数字化进程，同时探讨究竟什么是能够改变游戏规则的突破。非现金支付在过去十年间取得了长足进展，网上购物的兴起给非现金支付也带来了新的发展契机，本期我们将**浅析现金替代品之最后的门槛**。

新兴市场一直是企业所面对的环境变化中的主要推动力之一，本期以汽车行业和酒店业为例，探讨如何利用在成熟市场的经验来满足新兴市场的需求，并利用新兴市场的差异性来寻找突破的机会，请关注**新兴市场购车者的卓越体验**和**把握酒店业前沿市场的竞争优势**。对化工行业来说，变化体现在源头的原材料价格的波动，新的技术和产品的问世，直至其客户行业的不断更新的需求。对于煤资源相对丰富的中国来说，煤化工是一个被关注的话题，**煤化工主要路径评估**将介绍中国煤化工的各类应用以及技术成熟度和市场潜力。最新一期《科尔尼化工行业客户连接性指数调查报告——**拟定化工行业发展新议程**》，从化工企业及其直接客户的高管的观察角度出发，讨论如何在化工业脱颖而出。

本期还将跟读者们分享科尔尼对并购后整合、企业转型和制造业的发展趋势等话题的见解，我们将一如既往地给您带来科尔尼最前沿的观点。

李 健
科尔尼董事

热点专题

1 亚洲并购得失：PMI 关键实践

很多亚洲并购活动最终都以失败告终，究其原因是并购后整合（PMI）处理不当。成功的 PMI 通常包含八项核心实践，而组建合适的 PMI 团队也非常重要，这一团队需包含三个重要模块——合并管理、价值捕捉和合并支持。

7 重塑全渠道时代的零售店

尽管新的购物模式层出不穷，但现在谈论实体店的消亡还为时过早。领先实体店依然是维系消费者关系的关键纽带，即使是在当今这个移动和网络销售主宰的"全渠道"零售时代也是如此。零售商制胜的秘诀就是要有策略地进入这一全新的领域，不仅要了解实体店及其网络在当今这个零售生态系统中担当的最佳角色，也要在最大化跨渠道价值的同时确保实体店仍然作为维系消费者关系的关键纽带。

科尔尼指数

14 2013 科尔尼全球零售电子商务指数

科尔尼于 2012 年首次推出了电子商务指数，重点分析了前十大发展中国家的网上零售投资情况。在 2013 年的报告中，我们进一步将范围扩展到排名前 30 位的发展中和发达国家市场。排名是以部分宏观经济因素以及消费者对技术的采纳率、购物行为、基础设施和具体零售活动等 9 个变量指标为基础的。我们将与您一起探讨零售商如何利用电子商务平台实现全球扩张的宏伟目标。

行业观察

28　煤化工主要路径评估

在中国西北部很多地区煤炭资源丰富,价格低廉,逐渐被应用到煤化工生产中。煤化工产业规模仍然很小,但发展却非常迅速。评估煤化工产业细分市场的吸引力需要考虑以下因素:运营记录、中央政府和地方政府支持、技术的成熟水平、煤炭相对于其他原料的经济优势、终端市场吸引力、环境影响等。

36　新兴市场购车者的卓越体验

新兴市场的汽车客户体验正在不断改进,但仍有很大的提升空间。大部分经销门店已具备基础的流程和服务技能,不过要想真正体现差异化优势,领先汽车生产企业需要进一步加强购买体验,提升试驾、客户信息、需求定位和竞争对比等多个维度的表现,这些看似微不足道的措施将为客户提供满意的体验发挥重要作用。

43　把握酒店业前沿市场的竞争优势

酒店业的剧变即将来临。西方国家市场仍然在推动全球酒店业发展,但新兴的亚洲和拉美国家的市场引领行业指日可待。对于试图立足于新兴市场的连锁酒店而言,重点是要抓住新兴市场的诱人机遇以便及时开发市场。但抓住诱人机遇还不够。另外还要考虑某个特定市场的情况和未来潜力,找到最合适的战略,以便培养能力,取得突破性规模并占据市场领先地位。

49 改革大件宅配服务，实现业务突破

亚马逊凭借快速、经济和可靠的宅配服务，提高了宅配行业标准。但随着家电、家具和电子产品等大件物品的宅配市场呈现增长势态，相应的宅配却没有跟上这一标准，结构性的障碍阻碍了零售商和宅配服务供应商的增长机遇。市场表现为极度零散且过于复杂化，零售商通常都不能确定是否需要凭借宅配实现差异化，而且由于没有现成的突破性宅配供应方案，他们对于是否改变当前业务模式犹豫不决。

59 拟定化工行业发展新议程

科尔尼化工行业客户连接性指数调查报告首次发布于2008年，2013年开展的第七次调查包含来自10个欧洲国家以及美国、印度、韩国和中国的约150名生产商及其客户公司高管，行业涵盖从汽车到食品到化妆品领域的各个领域。本次调查从化工企业及其直接客户的高管人员所处的优势观察角度出发，对化工行业进行评估，详细研究了高管人员的行业发展观点，帮助制定出能在化工业脱颖而出的卓越战略。

68 数字化时代的银行业发展

数字化银行不仅是对市场下一个大趋势的炒作。对于任何一家银行来说，要想克服方法陈旧和客户关系管理不当等问题，数字化银行是不可或缺的。目前，世界各银行都在积极推动内外部的数字化发展。但是，目前很多银行采取的措施都只是个开始，包括测试新的产品和服务，效仿市场领导者等。真正的转型需要更深刻更广泛的变革，废弃陈旧结构，建立新结构，营造相应环境。这一过程可能比较痛苦，但是有远见的银行将从现在开始寻求变革。

85 驾驭制造业颠覆性变革浪潮——严阵以待：应对制造业发展六大趋势

从亚当·斯密的劳动分工理论到工业革命，再到20世纪90年代高科技的繁荣发展，制造业随着一波波变革浪潮而不断演变。最新一波的变革浪潮方兴未艾，此时21世纪的制造商们面临重大决策，这些决策可能会创造机遇，或带来竞争挑战。如今，新的颠覆性因素层出不穷，比如3D打印等新科技的潜在影响、全球供应链的固有风险、数据的指数式增长以及日新月异的人口社会经济结构等。

理论前瞻

92 浅析现金替代品之最后的门槛

非现金支付在过去十年间取得了长足进展，但不管无现金化的变革将如何上演，最终进入无现金化的世界要求所有的利益相关方采取新的理念、策略和商业模式。在这个新世界中，电子支付公司需要寻找各种渠道来创造收入。虽然挑战重重，我们仍相信所有关键的利益相关方都会从减少现金使用中获利。清晰的愿景、强有力的监管和大力创新会让无现金化的未来更早到来。

99 健康的企业转型——打造强大、灵活、精益型企业

转型是公司管理层热议的话题。如果公司能不拘泥于成本，并采用更均衡的方法，则可以将转型之力转化为解决未来问题的动力。在转型前，企业应首先了解行业动态及其自身面临的战略性挑战，准确诊断并审视全企业运作现状，激励全体成员积极参与，转型带来的将不仅是短期成果，而是影响未来的长期成果。在本文中，我们将与您一起探讨如何开展健康的企业转型，打造强大、灵活、精益型企业。

亚洲并购得失：PMI关键实践

很多亚洲并购活动最终都以失败告终，究其原因是并购后整合（PMI）处理不当。成功的PMI通常包含八项核心实践，而组建合适的PMI团队也非常重要，这一团队需包含三个重要模块——合并管理、价值捕捉和合并支持。

近年来，亚洲并购交易占全球并购交易的比例有日益上升的趋势。这有赖于中国和印度企业的崛起与增长的雄心。涉及中国企业的并购交易数量过去十年已增长了四倍，交易金额的增幅更是达到了六倍。根据这样的增长幅度，中国企业的并购交易在2022年将多达每年2万宗，交易金额则会超过2万亿美元。

不过，能够创造价值的并购交易数量非常之少，实际上很多并购活动最终都会以失败告终。我们的研究表明，亚洲并购交易中仅1/4实现了预期收益，究其缘由是企业并购后整合（Post-merger Integration，PMI）处理不当。其中缺乏沟通、预期不明确、并购后组织结构混乱、领导力不足、缺乏计划、动力不足等都是主要原因。

并购交易之后，整合不会自然发生。通常情况下，很多企业对于有效的并购后的整合重视不够，这些企业收购了其他公司，只是做出了一些努力，合并生产环节或后勤人员，然后就坐等好的结果发生。而成功与失败并购之间的根本区别在于企业如何进行整合管理。

八项PMI最佳实践

审视赢家的做法总是大有裨益的。我们与很多成功完成并购的亚洲企业进行过合作，发现推动它们成功整合的有8项核心实践（见图1）。

图1
成功的并购展示的"最佳实践"

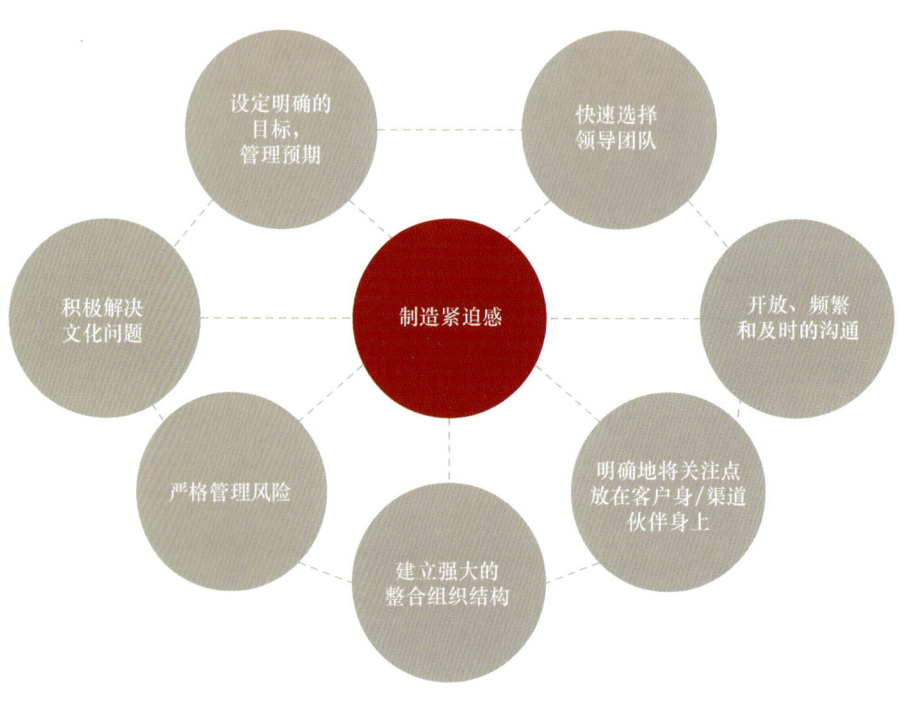

来源：科尔尼分析。

1. 制造紧迫感

时间是并购活动的关键。科尔尼研究表明，80%的协同效应价值都是在并购后第一年实现的。错过12个月的窗口期，大部分价值都会消失。因此，制造紧迫感对于并购后计划极其重要。

并购成功的公司在正式合并之前就会组建跨部门团队，这些团队与独立的咨询顾问在保密的环境下分析那些在交易正式完成前不能分享的信息，制订公司可以在合并后第一天出台计划，以捕捉协同效应。

2. 快速选择领导团队

我们相信，大型的变革性整合需要丘吉尔风格的领导，他们了解公司在争取什么，并能不惜一切代价去实现。我们建议公司在交易法律程序正式完成前确定首席执行官（CEO）。在开始阶段，必须明确负责人。

指派的CEO可以立即面试来自两家公司的候选人，在整合开始之前决定下一级管理层。第一层级管理者的职责应在第一周结束前确定并向整个公司通告。快速选择领导团队的过程要透明、统一、目的明确。另外，首席财务官（CFO）、首席投资官（CIO）和人力资源负责人对合并的成功都非常关键。

3. 保持开放、频繁、及时的沟通

沟通在整个整合过程中都非常关键。合并行为可能会使很多利益相关方感到焦虑，包括员工、股东、供应商、顾客和客户等。我们建议客户坦诚地告诉员工裁员的情况，或者告知员工宣布有关工作决策的时间。

另外，管理层还必须关注博客世界。根据我们的经验，最好的方式是尽量多地发布整合期间的信息，并给员工提供这些关键问题以及决定发布的时间表。例如，如果有博客推测某工厂将要关闭，你可以指着时间表告诉他们，3家工厂正在审核，其他18家工厂没有。然后说明决策出台的时间，让人们了解他们什么时候可以知道自己的未来，这将有助于控制焦虑情绪。

4. 关注点放在客户和渠道伙伴身上

在一项合并交易中，人们通常不能脚踏实地关注眼下的现实任务，而容易关注内部问题，如"我的工作能保住吗？"，"谁会成为我的老板？"，或者"合并后这个系统或那个流程如何工作？"等。但竞争对手清楚，这是你最脆弱的时候。他们会利用这一情况抢走你的客户。因此，制定结构恰当的并购后整合（PMI）计划可以让公司把关注点放在客户身上。

成功并购的企业一般会集思广益，共同制订客户保留计划。这些计划在并购整合之前就已经开始实施了，因为该计划需要现在的销售和高管团队参与，消除各自客户的疑虑，并保证他们的利益。当并购整合临近之时，实施的计划内容一般包括：新公司CEO和高管在整合开始前一周访问主要客户，再次向他们保证不会发生任何变化或公司只是做出改善。

5. 建立强大的整合组织结构

并购后整合的有序执行需要一个强大、组织良好的团队。其中的关键是成立项目管理办公室（PMO），负责协调全部工作和各个团队。项目管理办公室通常由外部咨询顾问和公司内部人员组成。选入项目管理办公室的员工必须具备较强的组织能力，足够强的个性与能力，能够说服人们并激励他们按时完成工作。项目管理办公室应保留一年或以上，被选出负责这一工作的员工必须专注于整合事宜，直至整合过程完全结束。

要完成这一任务，项目管理办公室必须拥有足够的授权、清晰的职责和高层领导者的支持。成功完成并购的企业一般倾向于在正式合并之前的60天就建立明确的、资源丰富的组织结构来支持整合，并且持续到整合完成之后。

6. 严格管理风险

对于那些可能对整合带来威胁的事宜，企业需密切关注相关指标，运用一系列成熟的汇报工具来识别和追踪风险，确定风险优先排序。风险管理的关键是沟通：项目管理办公室需要了解每个团队的

进展情况和需要解决的瓶颈问题。最大的风险是高价值员工的离开,高端客户的丢失以及员工士气和动力的不断下降,还有就是合并后的新公司虽然规模扩大了,但却不能捕获合并的全部价值。

7. 积极解决文化问题

公司文化和组织文化的差异可能会影响价值的创造:有些公司采取扁平型组织结构,奖励个人主动性,它们重点关注员工,相信高积极性员工的自然生产力必然可以促进企业的增长。而也有一些公司采用层级型结构,鼓励过程导向的行为,重点关注顾客。文化冲突——具有不同企业文化的公司和来自不同国家企业员工之间的冲突,可能使整合陷入困境。那些实现成功合并的企业会进行评估,它们知晓文化差异,制定了缩小文化差距的策略,从而使组织变得和谐。

8. 设定明确目标,管理预期

企业需要设定明确、积极的目标,要确定从哪里和如何捕捉协同效应(包括期望程度和实现时间),以及要知道花费很长的时间才能实现这些目标。如果有清晰的方案和基准,整合团队和业务经理就可以更好地集中精力。

实施可行的PMI计划

除了上述8项PMI最佳实践外,企业还要制订切实的并购整合计划。我们为此设计一个特别的整合框架(见图2)用以帮助并购企业建立清晰的结构,规划整合过程的所有步骤。任何整合过程的第一步都包括以下三个方面:第一是合并管理,包括构建整合项目结构,建立整合能力,启动本土化计划;第二是协同价值捕捉,涉及价值来源评估,制定价值捕捉的组织策略;第三是合并支持,侧重IT战略整合,HR政策协调,这是所有并购过程中最关键的功能。

图2
科尔尼并购整合框架

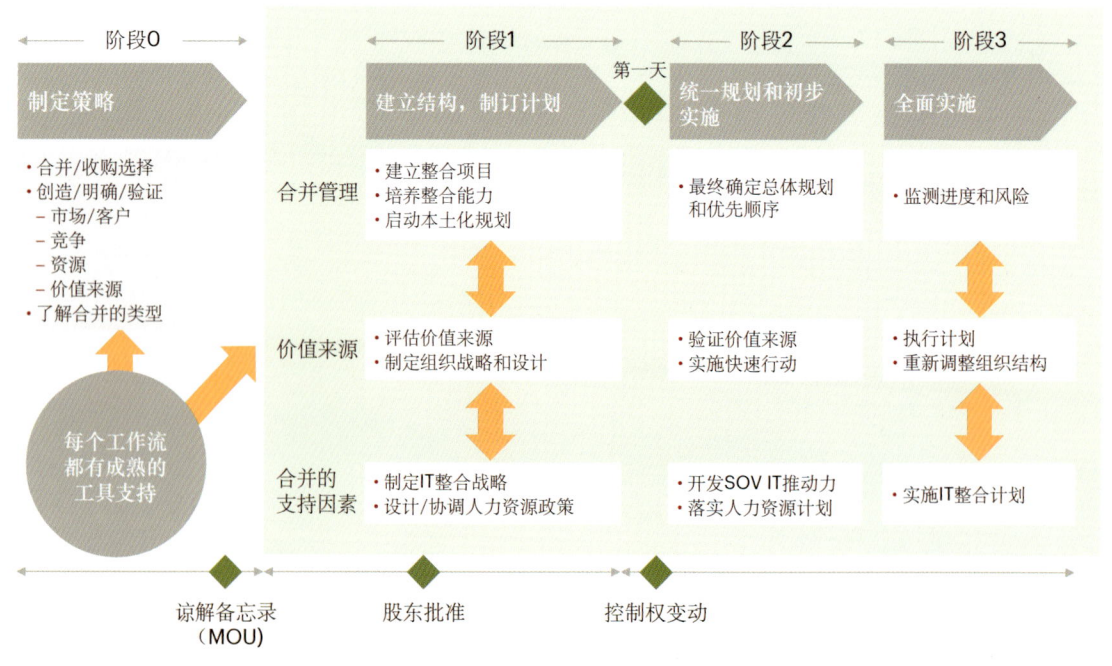

来源:科尔尼分析。

下面我们具体阐述这几方面。

首先是合并管理。 大多数合并交易失败的原因都是执行不力，而非战略基础。几乎所有典型的问题都可以通过制订详细计划来避免。如果整合活动遵循清晰的指导原则，有坚实的合并管理结构支持，使用经过测试的工具和技术，那么整合将会取得成功。

专注、有序、运行良好的整合过程是从高层开始的。在整合开始之前计划开始之时，CEO需要制定一套指导原则，支持整个整合过程。

指导原则通常包含多个重点，侧重整合活动的主要目标和整合过程本身。以我们合作过的一家消费品公司为例：该公司制定了一套指导原则，给予客户、员工和合并本身同等程度的关注。该公司的第一条指导原则就是"客户是关键"，这对该公司的并购后战略起到关键性的影响。例如，公司需要快速整合销售团队，以做到最小化客户流失。这家消费品公司的指导原则要求对所有员工要公平、尊重，公司甚至声明，"我们是一个整体——整体的力量大于部分之和。"这有助于强调一点：每个人都将从合并当中受益，并在其中发挥一定的作用。

协调两家或以上公司的整合是组织内部的活动。通过若干工具和技巧可以让团队集中精力，帮助高级管理层了解清除前方障碍所需采取的行动。

第一个工具是团队宪章。这是各整合团队撰写的单页文件，总结了团队的目标和计划。另一个重要的工具是协同蓝图，是由各价值捕捉团队撰写的单页文件，提供有关各自团队所实行效益举措的详细内容。第三个重要的工具是快报，由各整合团队分别撰写，提供更新的活动内容、成绩以及需提交的问题。其他一些工具可以让利益相关方了解整合活动的概况，当问题发生时他们可以及时介入处理。在这些工具当中首先是高层次总体规划，是由项目管理办公室制定的。

其次是协同价值捕捉。 几乎任何整合实践都可以利用若干核心领域释放整合价值。我们一般关注使资产和投资更为合理化，以及提高运营生产率和促进收入增长的方法。

在合并法律程序正式完成之前，咨询顾问和高级业务经理应已经分析并确定了所能创造的价值，并详述了实现目标的方式和时间。接下来，价值捕捉团队需要彻底检验协同效应预期，并将那些计划纳入协同效应蓝图。

我们建议企业使用优先级矩阵，该矩阵按照实施难易程度所对应的价值展现了可能的影响。各团队重点开展快速有力的行动，通过率先实施容易开展的高价值计划来创造价值。优先级矩阵将展示那些通常能在结构良好的整合中创造价值的核心协同领域。

最后，合并支持是连接一切的胶合剂。 人力资源（HR）和技术部门（IT）在任何并购交易中都是最关键的角色。人力资源和技术的风险高，任务关键，既能够促进合并，也可能会让价值在整合完成前丧失掉。

在合并发生之前，人力资源部门需要进行资源盘点，弄清楚哪些人员能够增加价值，哪些部门存在人员冗余，然后据此设计新的组织结构。人力资源需要整合制订出一套福利计划和人才保留计划，确保留下最有价值的人力资源。

> 如果整合行动遵循清晰的指导原则，有坚实的合并管理结构支持，使用经过测试的工具和技术，那么整合将会取得成功。

并购最大的风险之一就是最优秀员工的潜在流失，因为他们不想面对不确定性，或担心新公司会安

排给他们不好的职位。企业需要有一个管理这类风险的框架，确定优先考虑的员工，并将他们分为公司的临时资产或长期资产。人才保留计划设计的目的是留住员工，确保合并后的公司能够捕捉到这些关键员工的价值。

合并会使员工感到焦虑。此时，在引导两公司员工顺利度过整合中必然出现的情绪起落，人力资源将起到关键性的作用。人力资源领导必须向两公司的员工说明整合的益处，为其安排在新的组织中工作所需要的培训，并提供资源和激励措施，帮助其达到新的业绩目标。另外可能会增加并购不确定性的人力资本是两公司固有的企业文化和国家文化差异。收购企业的人力资源部门和项目管理办公室需在并购发生之前明确评估文化差异所在，同时制定减小这些差异的策略。

信息技术对合并企业的顺利过渡和创造快速可靠的价值同样至关重要。如果IT整合执行不善，造成销售和运营停滞，那么合并交易也可能因此失败。

收购方可以采取不同的战略进行IT整合。IT整合的五个方法包括：松散耦合系统、从众多IT结构中选择一个最好的系统、选择一个最符合并购后企业发展战略的结构、淘汰遗留的系统和结构、尽量将系统问题外包给与公司架构方向相符的第三方。具体采用哪种方法要取决于企业的管理模式和财务状况。

最后，我们并不认为亚洲企业面临的并购后整合挑战比西方企业更大。但我们确信亚洲企业对并购游戏经验的掌握比西方企业要少。亚洲企业对并购后整合，以及整合工具和方法没有西方企业那么熟悉。另外，在并购活动中，亚洲企业不太愿意寻求外部专业帮助，它们更愿意自己解决这些问题。但是，如果想在亚洲并购游戏中成为赢家，亚洲企业的高管必须加深对并购后整合过程的理解。

作者

蔡纯毅，科尔尼全球合伙人，常驻新加坡办事处
电子邮箱：soonghee.chua@atkearney.com
著有《亚洲并购——激流勇进》一书

吴明方，科尔尼全球合伙人，常驻新加坡办事处
电子邮箱：mui-fong.goh@atkearney.com

此文首发于《哈佛商业评论》中文版

ATKearney

重塑全渠道时代的零售店

尽管新的购物模式层出不穷,但现在谈论实体店的消亡还为时过早。领先的实体店依然是维系消费者关系的关键纽带,且在满足多渠道购物需求中发挥主要作用。

实体店已经消亡

似乎很多人都这么认为,但是鉴于零售业内外人士对未来零售业的消极看法,这种想法并不足为奇。然而事实却呈现出一派完全不同的景象,零售店及其网络仍然在建立客户忠诚度和财务支持方面发挥主要作用。事实上,我们通过对美国和英国的3200位消费者开展的在线调研显示,实体店仍然是维系消费者关系的关键纽带,即使是在当今这个移动和网络销售主宰的"全渠道"零售时代也是如此[1]。证据很明显:消费者对实体店购物体验的重视体现在多个层面,且将继续在实体店采购大部分的物品。此外更重要的是,实体零售店还有助于推高其他所有渠道的销售量和营业收入。

实体店仍然是维系消费者关系的关键纽带,即使是在当今这个移动和网络销售主宰的"全渠道"零售时代也是如此。

然而我们并不是说零售业是一成不变的,因为事实并非如此。新零售渠道的兴起加剧了竞争(包括来自在线运营商的竞争)、增加了成本(跨渠道销售产品的成本)、提升了价格压力(特别是数字化渠道的价格透明度明显上升)。向全渠道购物体验的转变意味着实体店的传统角色(即仅服务于店内购物者的场所)所包含的价值已经改变了。简而言之,实体店自身的生产力和赢利都下降了。

零售商制胜的秘诀就是要有策略地进入这一全新的领域,不仅要了解实体店以及实体店网络在当今这个零售生态系统中担当的最佳角色,也要在最大化跨渠道价值的同时确保实体店仍然作为维系消费者关系的关键纽带。我们在对未来零售店的研究中总结了实体零售店在若干方面的最佳角色以及为实现最大成效所需采取的策略。

实体零售店的价值

想要了解实体店的最佳作用,需要认识到消费者的购物及购买行为反映出的不同趋势。正如预期的那样,购物者会花费大量的时间在实体店以外的渠道搜索信息,大约有40%的购物时间是花在网络、移动渠道搜索产品信息以及阅读商品目录等(见图1)。

实体零售店仍然占据了消费者大部分的购物时间。此外,消费者的购物行为依然在很大程度上与实体店模式捆绑在一起:2012年,92%的消费支出发生在零售门店内[2]。实体店是所有年龄段(从"零零后"到老年人)和不同收入水平的家庭(年收入从不到25000美元到超过100000美元不等)选择的购物渠道。

此外,实体零售店依然是零售商激发顾客进行额外消费的最佳机会,从而可以增加门店的收入、利润和整体财务表现。正如图2所示,大约40%的消费者称他们会在实体零售店花更多的钱进行计划外的采购,而只有25%的消费者称他们在网上购物的时候会这样做。这样做的部分原因是实体店更有可能成为我们所说的随便逛逛或随便看看、橱窗购物、淘货或者冲动消费的最佳场所。相反,网上购物则更有可能是"带着目的购物",也就是说为了尽可能以最低的价格买到某种特定产品或服务的一项任务。

---

[1] 本研究开展的时间是2013年2月;调研样本代表成年人口统计数,包括性别(53%女性,47%男性),年龄(18~65岁),家庭收入(年收入从不到25000美元到超过100000美元不等),以及地域分布(城市、郊区和农村)。

[2] 美国人口统计局,2012年调整后的各渠道零售数据(不包括机动车和零配件、燃油和餐饮企业);英国国家统计署,2012。

图1
实体零售店仍然占据了消费者大部分的购物时间

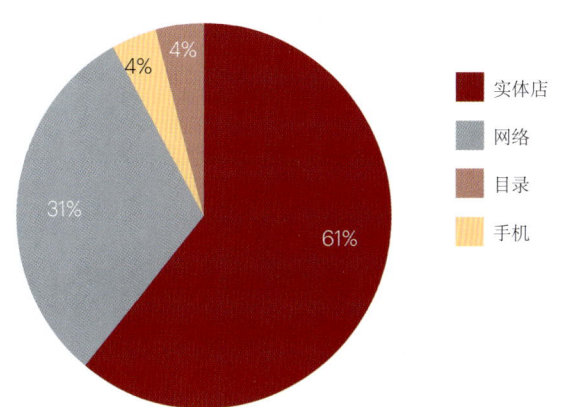

来源：2013科尔尼未来实体零售店研究。

图2
消费者在实体店的购物开支更大

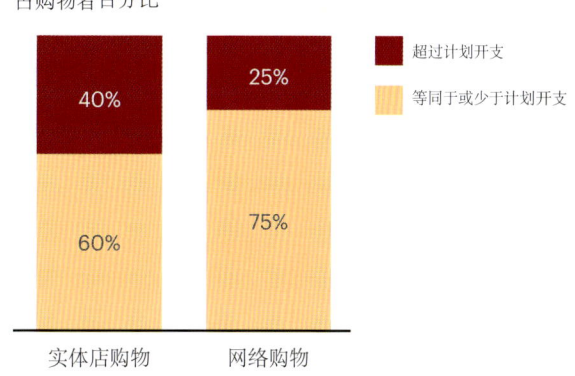

来源：2013科尔尼未来实体零售店研究。

消费者怎样购物，为什么要购物？

目前的调研结果充分说明了实体店带来的持续价值。但这并不是说零售店或网络就不应该改变以满足全渠道顾客的需求。新的零售渠道意味着零售商的竞争加剧、成本和价格压力增加，同时使得传统卖场的生产力和利润大幅减少。此外，数字渠道的零售创新，比如足不出户的虚拟服饰配件，极有可能会继续助推网上销售增长快于实体店（自2000年以来网上销售和实体店的年复合增长率分别为**17%**和**4%**）[3]。因此，拥有实体店资产的零售商想要了解实体店网络在改善跨渠道销售、利润和客户忠诚度方面发挥的最佳作用。我们的研究表明，实体店可以在当今的大市场中扮演主要角色，成为零售商与顾客关系的纽带。但是，为了实现这个目标，首先要深入了解消费者怎样购物以及为什么要购物，然后才能相应地重新部署门店网络。

购物的过程可以细分成几个阶段，从购买前研究到售后体验。图3分别从实体店和网络购物的渠道出发，向我们展示了消费者在购物过程中的每个阶段所花的时间。不足为奇的是，实体店在不同的购物阶段的重要性不同。正如图3中数据所表明的，数字渠道在购买前研究阶段发挥了最大作用，消费者阅读在线评论，并通过社交网站查找别人的推荐。实体店主宰了后面的几个阶段，包括产品试用和测试，以及售后服务与支持。尽管实体店能够也应该在所有购物阶段发挥一定的作用，但他们并不需要在每个渠道都必须发挥创造销售额的核心作用。

另外，了解消费者为什么来实体店购物是了解实体店的未来角色的第二个重要因素。我们从研究中发现，消费者前往实体店购物的主要原因包括：满足即时购物需求（"我喜欢随时能把商品带回家的满足感"）、试用产品以及购买前的产品体验（"我喜欢马上拿到商品并立即试用的感觉"）。逛商店在当前来说仍然是一项重要的社交活动，受访者强调说与朋友家人共度时光也是出门逛街的一大主要动机。图4中列出了消费者继续重视实体店的一系列原因，其中有几个原因是数字渠道无法满足的。

---

[3] 美国人口统计局数据，2000—2012。

图3
研究、验证和购买产品的多种新方法

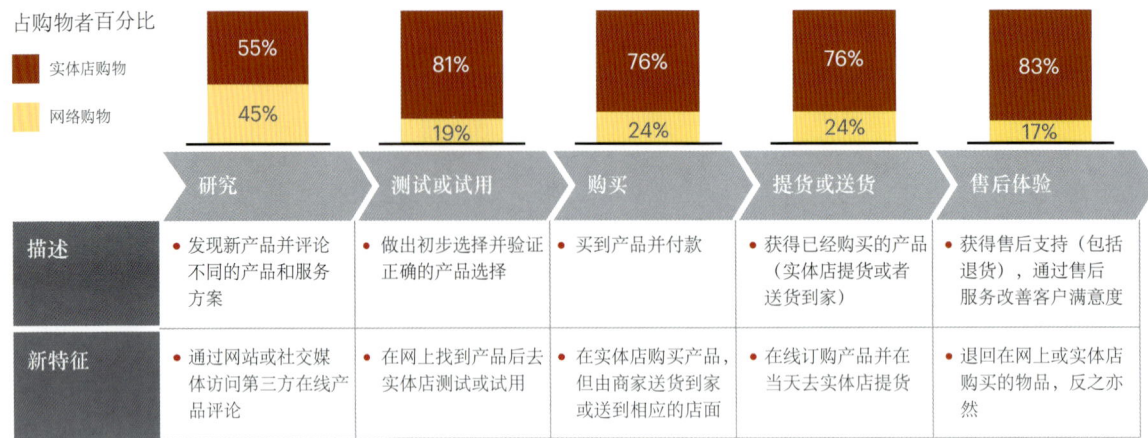

来源：2013科尔尼未来实体零售店研究。

图4
消费者为什么选择来实体店购物

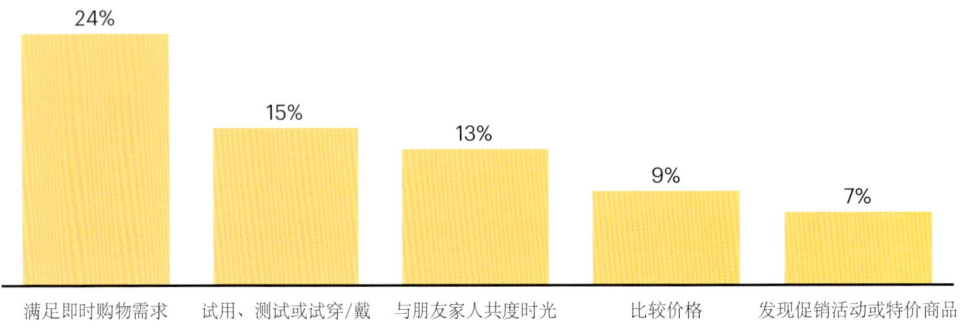

来源：2013科尔尼未来实体零售店研究。

实体零售店的未来角色

毫无疑问，实体店仍将继续影响销量和营业额，吸引顾客，建立跨渠道和产品类别的品牌忠诚度。鉴于此，尽管零售商仍然需要为消费者提供随时随地的购物场所，同时也要确保实体店成为人们真正想来的地方，这一点同样也很重要。在这种情况下，我们建议您从以下五个方面出发，以战略的眼光来评估和重塑实体店的未来角色。

- **探索**。实体店是消费者了解更多商品信息、试用并探索（或者偶然发现）隐藏价值的最佳场所。加强实体店"探索"的角色，可以吸引"随便逛逛"的顾客支出更多费用，购买更多计划外的商品。这一角色同时也会增加其他渠道的价值，因为购物者极有可能是到店里来试用他们在网上找到的某件商品，或者先是到实体店购买商品，然后再在网上补货。

- **娱乐**。最成功的零售商会提供丰富多彩的店内娱乐设施来吸引购物者,特别是那些享受购物的乐趣并且把购物当作一种社交活动的购物者。更专注于娱乐性的购物场所同时也会特意强调店内品牌的特色以及品牌所代表的生活方式。而且消费者也不太可能会在其他渠道以最低的价格买到这些品牌的商品。

- **关系**。实体店是提供个性化服务的理想场所(包括从购物前、购物中直到购物后),吸引顾客的同时也诱惑顾客进行更多计划外的购物。很多受访者都提到了面对面接触的重要性:"只有实体店会把我当成一个真正的人看待,而不是想要做成我这单生意的一个数字而已。"建立积极的顾客关系有助于创建关键且可持续的品牌忠诚度,从而改善所有渠道的销售业绩。

- **交易**。不管采取何种送货方式,实体店仍然是达成交易的最主要的渠道。便利、愉悦的交易过程,比如无须排长队结账,热情周到的收银员等,都有利于建立品牌忠诚度。销售终端同样也可以通过追加销售或者提供延长保修期等增值服务来提升利润。

- **订单履行**。不管是通过网络还是移动渠道购买产品,消费者都可以到店里取货。这时同样也会在结账的过程中提供冲动消费的机会。实体店还可以提供当天交货或者当日可取来保证满意的服务,这是数字渠道所无法做到的。就运营来说,由实体店发货或从实体店取货可以加快交货时间,优化整个零售店网络的库存水平,从而在很大程度上改善效率、节约成本。

我们通过消费者调研更好地了解以上角色在各种产品类别中的重要性,如图5所示。尽管在不同类别中的角色重要性不同(比如在图书中的重要性较低,在食品杂货和家装用品中的重要性较高),我们的研究结果清楚地表明了零售店能够而且应该在促进各种产品类别的客户参与中发挥关键作用。

图5
实体店的角色在不同产品类别中的重要性

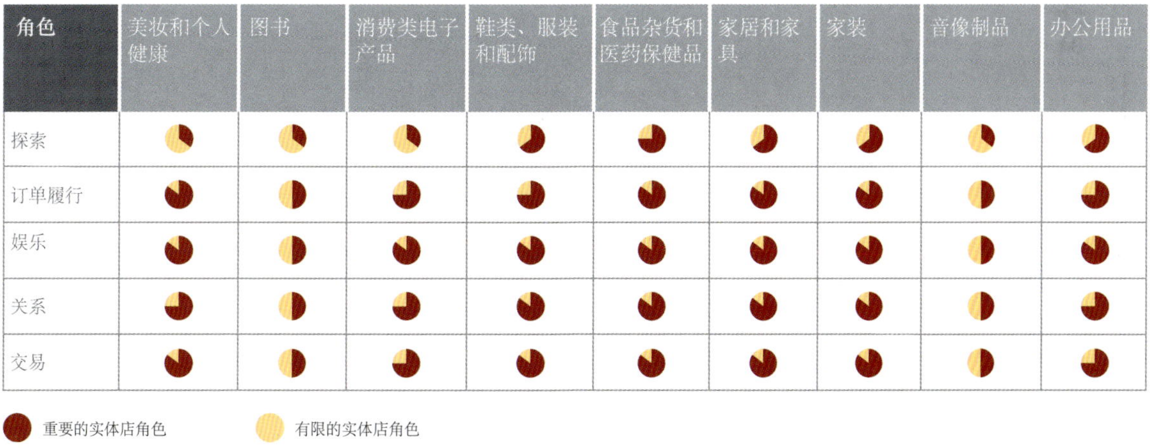

角色	美妆和个人健康	图书	消费类电子产品	鞋类、服装和配饰	食品杂货和医药保健品	家居和家具	家装	音像制品	办公用品
探索	◐	◐	◐	◐	◐	◐	◐	◐	◐
订单履行	◐	◐	◐	◐	◐	◐	◐	◐	◐
娱乐	◐	◐	◐	◐	◐	◐	◐	◐	◐
关系	◐	◐	◐	◐	◐	◐	◐	◐	◐
交易	◐	◐	◐	◐	◐	◐	◐	◐	◐

● 重要的实体店角色　　● 有限的实体店角色

来源:2013科尔尼未来实体零售店研究。

实现目标的四种方法

今天绝大多数的零售店和网络在设计和建造的时候并没有考虑到全渠道的购物体验。最初对店址的选择都是为了获得最大的顾客流量,但今天,大部分的购物活动都是先在网上下单,然后再前往预定的地点完成交易。在数字渠道尚未兴起的时候,零售店规模的确定都是为了在所有门店销售同一品类,支持类似的顾客体验。然而,今天的顾客寻求的是独特的、差异化的购物体验,同时满足其探索、社

梅西的实体店发货（Ship-from-Store）倡议[4]

2013年年中，美国梅西百货宣布到今年年底使其800家分店中的500家兼作订单履行中心，并以此作为其大型实体店发货（Ship-from-Store）倡议的一部分。公司期望利用基于实体店的配送中心直接送货到家可以提高销量、存货周转及毛利率。

此外，保持实体店作为本地配送中心的做法有助于清理库存、减少缺货。一般来说，实体店发货的策略可以带来这些好处，同时降低持续运营成本和资本支出，因为以实体店为基础的配送模式比起建造订单履行中心要便宜多了。

梅西以及其他采用实体店发货模式的零售商借助战略性地利用配送资产，通过更快的交付速度和更优的产品可用性，因而在改善客户体验的同时也改善了财务表现。

交、便利等其他目的。在这种背景下，我们建议采取以下四种方法，从而确保您的零售店和网络仍然成为维系消费者关系的关键纽带。

优化零售店位置。我们的研究表明，消费者在选择逛商店时主要考虑的是商店的位置（就近性），另外，零售业态和时间也起了较大的作用。然而零售店一般不是为了满足消费者就近消费的需求而建立的，因而常常造成重复的库存和较高的经营成本。通过店址的选择来优化门店网络可以支持消费者的购物行为，促进更有效的供应链和跨渠道经营。优化的网络满足了之前讨论的新零售店角色的大部分方面，特别是交易（促进消费者进行正规化购物）和订单履行（比如通过本地零售店送货）。

利用零售业态。除了选址，零售业态也需要做些努力。我们的研究表明，零售商可以通过构建一整套零售业态模式，满足我们前面讨论的角色，不同的业态分别强调不同的角色。例如，大型旗舰店可以满足探索和娱乐的角色（比如促进社交性购物），并且建立强大的客户关系。更多传统商店可能是日常购物的最佳场所，这就需要非常到位地执行交易。靠近目标消费者居住地的小型门店可以吸引图方便的购物者，同时可以有效地实现网上购物的目标。这种以业务组合为基础的方法可以在改善以下运营效率以外，还可以满足消费者的多种需求，提高消费开支，建立品牌忠诚度。

跨渠道整合的零售业务。一个全渠道的市场需要得到各个渠道的卓越运营的支持，以便提高效率和竞争优势。这一改善可能会涉及多种形式。其中一项举措是合并跨渠道的配送资源，包括将门店用作物流和配送资产；这样做可以在加快交货速度和灵活性的同时改善效率（参阅：英国高端连锁百货公司House of Fraser的"网订店取"模式）。另一项举措可以提高跨渠道的库存可见度，比如可以在线显示店内库存，从而满足传统及网上购物者的需求，且有可能将网上销售转换成店内自取货物，从而增加了冲动消费的可能性。

合并业绩管理的方法。传统上衡量门店业绩的指标，比如同店销售额和库存周转等，都无法把握门店在顾客全渠道体验中担当的角色。例如，一家看似无利可图的门店实际上可能发挥了展示厅的作用，顾客可以在这里探索和体验产品，或者作为网上销售或移动渠道销售的订单履行地点。整合跨渠道的绩效管理措施，比如地区或区域销售、配送速度、获得顾客并维系客户以及客流量，不仅显示出了个体门店所代表的价值驱动力，同时也强调了优化门店网络的路径，即通过将实体店打造成为展示厅、订单履行中心等特定角色来优化门店网络。全渠道零售商需要制定全公司范围的新指标，促进业务行为与全渠道消费者的需求保持一致。

全新的角色

尽管实体零售店继续以他们的传统方式创造价值，但是在当前全渠道时代的背景下，消费者需求对零售店的角色提出了新的要求，只有重新塑造零售店的角色，才可能满足不断变化的需求和行为，否则恐怕就难以存活了。实体零售店已不再仅仅是一个购物的场所，现在可以通过不同的业态组合，比如

---

[4] Erin Lynn，"Macy's to have 500 fulfillment stores by end of 2013"，摘自Multichannel Merchant，2013年6月24日。

提供引人入胜的娱乐活动、更多探索新商品的机会以及网上购物可获得的便利的配送服务等，从而达到推广品牌和促进顾客体验的目的。按照我们在上文建议的五个维度重塑实体零售店的角色，结合实现目标的四大策略，确保实体店资产仍然成为维系顾客关系的关键纽带，从而可以在这个千变万化的全渠道零售时代吸引到更多顾客、增强品牌忠诚度、改善业绩。

英国高端连锁百货公司House of Fraser的"网订店取"模式[5]

2011年年底，英国高端连锁百货公司House of Fraser在苏格兰的阿伯丁、英格兰的利物浦开设了新的概念店，即第一批专注于"网订店取"（Click and Collect）模式的零售店。光顾这些门店的顾客可以使用iPad、笔记本电脑以及其他互动屏幕来订购商品（包括从裤子到香水再到庭院家具），然后在第二天送货到商店或者送货到家。热情友好的工作人员、舒适的休息区和现场试衣间都可以帮助顾客选择商品，并且在商品送达门店后进行试穿。"网订店取"模式具有多种优势，包括较小的门店面积（即仅需要1500平方英尺，而传统的House of Fraser商店则需要至少100000平方英尺）、较低的劳动力成本以及为顾客提供了更大的灵活性和便利性（比如多种交货选择以及因店面小而无须走太多路）。House of Fraser的全渠道战略充分体现了门店可选用的业务组合方案，采用"网订店取"的模式极佳地实现了以上所述的关系、交易和配送等角色。

作者

Michael J. Brown，科尔尼全球合伙人，常驻纽约办事处
电子邮箱：michael.brown@atkearney.com

Daniel K. Farmer，科尔尼董事，常驻多伦多办事处
电子邮箱：dan.farmer@atkearney.com

Nilam Ganenthiran，科尔尼顾问，常驻多伦多办事处
电子邮箱：nilam.ganenthiran@atkearney.com

---

[5] "The First Buy and Collect Store in the UK"，Brand Retail & Design，2011年10月26日；"First Glimpse of House of Fraser Click and Collect Store"，Retail Week，2011年10月11日。

ATKearney

2013科尔尼全球零售电子商务指数

电子商务网站不再是零售商实体店的衍生物,而是全球扩张的有效替代平台。

当今最成功的零售商都把全球扩张看作是发展的关键平台。为了提防"零售物业之争"和长期投资回报率的挑战，很多零售商都希望能利用网上零售来克服这些挑战。发达市场和发展中市场的消费者纷纷开始在网上购买商品，世界各地的零售商也开始悄悄地进入网上零售这个平台想要分一杯羹。他们采用了各式各样的发展策略，从基础网站到收购小型网上零售商或者加强自身国际航运能力。

科尔尼于2012年首先推出了电子商务指数，重点分析了前十大发展中国家的网上零售投资情况[1]。在今年的报告中，我们进一步将范围扩展到排名前三十位的发展中市场和发达市场。排名是以部分宏观经济因素以及消费者对技术的采纳率、购物行为、基础设施和具体零售活动等9个变量指标为基础的。本次指数恰当地结合了当前网上零售市场指标与那些揭示未来增长潜力的指标（参阅：关于2013科尔尼全球零售电子商务指数研究）。本研究的目的是帮助零售商制定成功的全球网上零售策略并发掘市场投资机会，同时权衡利弊及成功的障碍。

指数调查结果

本次指数排名中同时包含了发达国家和发展中国家和地区市场（见图1）。中国独占鳌头，G8国家（日本、美国、英国、德国、法国、加拿大、俄罗斯和意大利）全部位于15名以内。位列排行榜中间的国家得分差距甚微，第15位和第30位之间仅有5个百分点的差距。

发展中国家和地区在本次指数排名中表现特别突出，30个国家中共有10个是发展中国家/地区，包括排名第一位的中国。随着网上零售不断增长的同时，实体零售店也变得更加高效，井井有条，因此这些发展中国家和地区的市场能够利用传统网上零售成熟度曲线的捷径。发展中国家和地区的市场上的消费者的购物行为越来越快地趋同于较发达国家市场上的消费者的购物行为。例如，俄罗斯和阿拉伯联合酋长国的人均手机持有量分别为1.8部和1.7部，远远高于许多发达市场。这些国家的消费者使用他们的手机来研究产品，比较价格，并通过社交媒体咨询朋友的意见。

关于2013科尔尼全球零售电子商务指数研究

科尔尼发布的全球零售电子商务指数按100分制对最具吸引力的网上零售国家进行排名。得分越高，表示该国网上零售方面的发展潜力越大。

网上零售的定义是通过由纯网上零售商或者以门店为基础的零售商所经营的网站向广大消费者出售消费品。该术语还包括通过智能手机或平板电脑等开展的移动电子商务的销售。销售隶属于购买达成的所在国家而不是零售商所在地。

网上零售市场上主要出售以下消费品类：

- 服装。
- 美容及个人护理品。
- 家电。
- 消费电子产品和视频游戏硬件。
- **DIY**和园艺。
- 食品和饮料。
- 家庭护理产品。
- 居家用品和家具。
- 媒体产品。
- 玩具及游戏。
- 其他产品[2]。

网上零售市场吸引力主要依据以下几个方面：

网上市场规模（40%）。当前网上零售额。得分越高，当前网上零售市场的规模就越大。

技术采纳率和消费者行为（20%）。网上消费者的行为指标，比如互联网普及率、采购趋势和技术采纳率。得分越高表示这个国家的消费者基础对网上交易越有利。

基础设施（20%）。金融和物流基础设施建设指标，包括家庭信用卡普及情况和物流供应上的可获得型和质量。得分越高，这个国家的基础设施建设对网上购物越有利。

增长潜力（20%）。预测的网上零售消费增长。得分越高，预测的增长潜力得分就越大。

数据和分析都来源于欧瑞国际、国际电信联盟、世界银行和世界经济论坛的数据库。

---

[1] 想要了解更多有关2012年电子商务指数报告，请登录科尔尼中文网站查阅《电子商务——全球零售扩张的新前沿》。

[2] 其他产品包括保健品、烟草、宠物食品、宠物护理、面纸及卫生用品、处方药、运动器材、手表、太阳镜、手袋、珠宝、古董、纪念品和收藏品、自行车、蜡烛、花瓶、相框和图片。网上销售数据中不包括旅游观光、博彩、服务（比如食物外卖）、票务、订阅（如Netflix）、B2B业务、批发和工业交易。

图1
2013科尔尼全球零售电子商务指数™

排名	国家/地区	市场类型	网上市场规模 (40%)	消费者行为 (20%)	增长潜力 (20%)	基础设施 (20%)	网上零售市场吸引力得分（分）
1	中国	下一代市场	100.0	68.8	100.0	51.1	84.0
2	日本	数字化市场	100.0	100.0	17.4	99.1	83.3
3	美国	成熟和增长中的市场	100.0	77.6	39.8	96.5	82.8
4	英国	成熟和增长中的市场	100.0	77.5	14.7	86.3	75.7
5	韩国	数字化市场	79.6	97.4	9.3	95.1	72.2
6	德国	成熟和增长中的市场	90.3	78.3	28.1	65.1	70.4
7	法国	成熟和增长中的市场	85.5	75.7	7.4	71.6	65.2
8	巴西	下一代市场	37.2	51.2	64.7	64.1	50.9
9	澳大利亚	成熟和增长中的市场	15.7	89.4	46.2	86.9	50.8
10	加拿大	成熟和增长中的市场	17.7	73.5	48.3	91.5	49.7
11	新加坡	数字化市场	2.3	93.1	28.9	100.0	45.3
12	阿根廷	下一代市场	9.2	59.1	75.7	68.0	44.2
13	俄罗斯	下一代市场	34.9	51.8	56.4	42.3	44.1
14	中国香港	数字化市场	3.2	93.7	17.2	100.0	43.4
15	意大利	下一代市场	16.1	52.2	64.3	60.7	41.9
16	瑞典	成熟和增长中的市场	12.1	77.5	21.7	85.7	41.8
17	斯洛伐克	下一代市场	2.0	71.5	86.4	44.3	41.2
18	新西兰	数字化市场	2.5	92.3	28.1	78.5	40.8
19	荷兰	成熟和增长中的市场	16.2	77.5	17.4	73.9	40.2
20	智利	下一代市场	3.9	61.0	56.5	74.8	40.0
21	芬兰	成熟和增长中的市场	13.3	77.2	13.6	82.1	39.9
22	土耳其	下一代市场	10.7	26.6	72.9	78.4	39.9
23	委内瑞拉	下一代市场	2.5	49.5	100.0	42.1	39.3
24	比利时	成熟和增长中的市场	9.8	70.6	26.5	73.1	38.0
25	阿联酋	下一代市场	0.9	50.3	49.2	87.8	37.8
26	挪威	成熟和增长中的市场	12.3	77.5	9.7	75.7	37.5
27	爱尔兰	下一代市场	7.2	62.3	42.2	67.9	37.4
28	丹麦	成熟和增长中的市场	10.2	78.3	14.1	73.0	37.2
29	瑞士	成熟和增长中的市场	13.2	68.2	10.9	79.4	37.0
30	马来西亚	下一代市场	1.0	63.0	44.2	75.0	36.8

注：采用四舍五入法。100为最高分，0为最低分。市场类型是依据网上增长潜力和网上消费者行为的比较决定的。
来源：欧瑞国际；国际电信联盟；Planet Retail；世界银行；世界经济论坛；科尔尼分析。

本次指数排名中还包括了10颗"璀璨宝石"，即人口不足1000万的国家/地区，包括新加坡、中国香港、斯洛伐克、新西兰、芬兰、阿联酋、挪威、爱尔兰、丹麦和瑞士，这些国家的网上消费者都非常活跃，而且他们也拥有充足的基础设施来支持网上零售业务。另外，世界第二人口大国印度（12亿）却未能上榜，原因在于印度的互联网渗透率很低（10%），而且该国的财政和物流基础设施也比其他国家差得多（参阅：印度尚待开发的网上零售潜力）。

相似点多于不同点

在过去的五年中，全球网上零售的复合年增长率为17%，拉丁美洲（27%）和亚太地区（25%）的增长尤其强劲（见图2）。

图2
自2007年以来全球网上零售额复合年增长率为17%

注：网上零售额不包括销售税且按2012年恒定汇率计算。
来源：欧瑞国际。

乍看起来，发达国家和发展中国家的网上零售额大相径庭。在发达国家市场，实体店业务成熟的零售商都在努力整合其实体店和网上渠道，从而为消费者提供无缝式的购物体验。然而，发展中国家的市场的零售商较少担心多渠道集成，更多的是努力解决网上购物的障碍，比如财务和物流基础设施和文化规范等。

然而，这两种类型的市场有许多相似之处，零售商在网上拓展自己的全球业务应该考虑到这些相似之处。

消费者变得更加成熟。发达市场和发展中市场的消费者在网上买东西前会先做好功课，他们会研究商品的功能、价格、物流选择和零售商的退货政策。他们会从商店和网站收集商品信息，并通过社交媒体和博客征求朋友的意见。例如，经研究发现，半数的法国消费者在网上下单前首先会去实体店了解商品，约3/4的巴西消费者在进行重要的网上购物前会先在社交网站上对商品进行讨论。越来越多的消费者依赖比较购物搜索引擎（CSE），该网站会收集参与零售商的信息并经过汇总整理后

印度尚待开发的网上零售潜力

印度早已是许多网上零售商关注的焦点，毕竟印度是全球第二人口大国（12亿），其网上零售市场价值约为15亿美元。然而，由于该国极低的互联网普及率以及基础设施方面明显的制约性使其未能入选本次指数榜单。

提高互联网普及率仍然是开启印度网上零售潜力的关键所在。十个印度人中只有一个人使用互联网，很多人都无法使用电脑和固定宽带网络。手机的使用可能会加快互联网普及的进度，因为目前有超过9亿的印度人拥有移动电话，但其中只有10%的移动电话是智能手机。未来几年内，随着智能手机使用量的增加，移动宽带的改善，以及印度政府推出的全国光纤网络计划，印度的互联网普及率可能会大幅度得到提高。

印度简陋的物流和交通基础设施（特别是一线城市以外地区）使及时交货难上加难。通过对二、三线城市公路和高速公路基础设施的改善，相信网上消费群体一定会有所增加。

此外，较低的信用卡渗透率和复杂的税收法律也阻碍了印度消费者有效地开展网上零售交易。货到付款（COD）在印度很常见，因为只有10%的印度家庭拥有信用卡。然而，由于对运营挑战的考虑，很多零售商都暂停了在印度人口最多的北方邦的COD付款方式。此外，印度各州及地方的复杂税法阻碍了网上零售商为网上订单申请准确的税费的能力。印度政府决定开征商品及服务税（GST）的计划预计将会缓解跨州征税的复杂性，改善未来的网上零售效率。

尽管障碍重重，印度庞大的人口为零售商提供了巨大的长期发展机会，尤其是许多投资已经志在弥补基础设施方面的欠缺。如今，印度58%的网民会在网上购买商品，而且随着零售商不断改进消费者的购物环境，这一数字还将攀升。

在单页上显示对比结果，从而帮助消费者选择整体性价比最佳的零售商。谷歌购物、Nextag和PriceGrabber是美国最受欢迎的购物搜索引擎，类似的网站也在其他地方蔓延，包括法国的Cdiscount和巴西的Buscapé。

现在的消费者比起以往任何时候都会更多地使用手机和智能设备研究对比商品和价格。有研究发现，巴西90%的手机用户以及英国半数以上的手机用户使用移动设备来了解零售商品的信息。

卖家越来越富有创意，业务技巧也越加熟练。零售商认识到，若想要吸引这些成熟的消费者，他们必须提供令人信服的网上零售的价值主张，而且目前他们也正在相应地调整自己的网上服务。零售商网站俨然已经演变成为产品百科全书，消费者可以看到详细的产品图片、规格、建议的搭配商品以及用户评论。互动网站的网上时装零售商Net-a-Porter在其互动网站上展示了多张产品图片，并描述了产品尺寸、合身效果和成分等特定细节。网站编辑会标注所有特色商品，并强调当前的流行趋势及产品搭配。消费者也可以联系时尚顾问，咨询服装的样式以及适合自己的采购建议。

为了吸引网上消费者，所有市场上的零售商都在使用社交媒体网络，但使用方式不同。很多中国零售商鼓励消费者写购买后的评论，从而可以换取积分或网上优惠券，因为他们了解消费者对产品的评论会影响网上购买决定，积极的反馈可以鼓励销售。另外，发达国家市场上的网上零售商，如亚马逊会深入挖掘网上消费者对有缺陷的产品、写得不好的说明书以及物流耽搁等问题的意见。

零售商也在推进送货包装方案，以提高网上购物的便利性。英国杂货商阿斯达（Asda）正在试验使用门店外面的提货储物柜，这样的话那些选择"网订店取（click-and-collect）"模式的网上消费者就不必担心商店关门而匆匆忙忙赶去提货了。同样也正考虑在商业园区、大学校园、火车站、公园及转乘站设立提货枢纽站。在发展中市场，尽管存在物流方面的制约，但零售商也在大幅改进产品交付环节。智利百货商店法拉贝拉（Falabella）给网上消费者提供24小时的产品交付方案，并允许他们选择不同的交货时间。

同样，零售商们提供了一个更广泛的付款方式，以提高便利性。在中国，每户信用卡持有量小于一张，因此电子产品零售商苏宁允许网上购物消费者使用网上银行账户、信用卡、第三方支付平台（如支付宝）以及货到付款的方式。

消费类电子产品和服装占据主导地位。世界各地的消费者对消费类电子产品和服装有着不同的口味和喜好，然而这两大品类几乎主导着全球各地的网上零售销售额（见图3）。

图3
部分国家网上零售品类细分

地区	国家	消费类电子产品和家用电器	服装	音像制品、玩具和游戏	食品酒水	家具和家居用品	美妆和个人健康	家装和家庭护理	其他[1]
全球	全球	25%	19%	12%	5%	4%	3%	2%	30%
北美	美国	21%	18%	13%	3%	4%	2%	1%	39%
亚洲	中国	52%	27%	3%	1%	1%	6%	0%	10%
	日本	21%	18%	13%	12%	6%	6%	2%	22%
	韩国	13%	12%	6%	3%	2%	3%	1%	59%
西欧	法国	22%	16%	13%	11%	2%	4%	1%	31%
	德国	27%	32%	16%	2%	7%	2%	2%	11%
	英国	10%	18%	20%	14%	4%	2%	2%	30%
拉美	阿根廷	31%	3%	4%	15%	2%	2%	1%	42%
	巴西	50%	6%	10%	3%	2%	4%	1%	23%
	智利	28%	1%	1%	9%	1%	2%	3%	54%
东欧	俄罗斯	31%	21%	10%	3%	7%	3%	9%	16%
	斯洛伐克	35%	13%	3%	3%	1%	1%	0%	43%
	土耳其	22%	2%	9%	1%	3%	2%	2%	60%
中东	阿联酋	83%	2%	3%	0%	0%	0%	0%	12%

[1]其他产品包括保健品、烟草、宠物食品和宠物护理、面纸及卫生用品、处方药、运动器材、手表、太阳镜、手袋、珠宝、古董、纪念品和收藏品、自行车、蜡烛、花瓶、相框和图片，不包括服务、订阅、观光旅游和票务。
来源：欧瑞国际。

电子和电器产品在互联网上销量不错，因为这些品类的产品有着明显不同的规格，可以在网上进行有效的沟通。消费者也可以轻松地在网络上研究这些产品，阅读产品评论，并与其他零售商的价格进行比较。

即使很多消费者仍倾向于购买前试穿衣服，但服装还是网上零售的热门类别。不同市场上的原因各不相同。在发展中国家的市场，如中国和俄罗斯，互联网为一线城市以外地区的消费者提供了他们在本地无法接触到的最新时装与品牌的机会。在发达国家的市场，如日本和德国，服装购买者是受到网上"无风险"购买的承诺所吸引的。在成熟的零售网站上，消费者可以看到身着服装产品的虚拟模特，从各个角度检查产品，同时他们还提供免运费、及时送货以及最小或无须成本的无忧退货服务。

激烈的竞争。网络空间是极具竞争性的，众多零售商纷纷想要在这一高增长平台上抢占一席之地。激烈的竞争转化为市场分散化的格局，在前30个市场中，50家以上的零售商占据了80%的网上销售额。单纯的网上零售商往往是先行者，他们在30个市场中的26个市场占据领先地位（巴西、智利、瑞士和新西兰除外）。亚马逊是其中9个市场（其中8个是发达市场）的顶级网上零售商，彰显其在过去十年中积极的国际扩张战略以及快速收购跟随者取得的卓著成效。尽管多渠道零售商采取了积极的扩张策略，单纯的网上零售商还是能巩固自己的市场占有率，并且其平均市场占有率也以2%的速度增长。

许多强大的全球零售商品牌与电子商务和第三方物流管理公司合作将商品销往全球各地的消费者。例如，英国零售商Next、Debenhams和House of Fraser分别将商品销往全球61个、67个和128个国家。其他比如Borderfree（其客户包括梅西百货、Crate and Barrel和David's Bridal）等电子商务服务公司代表零售商处理包括海关及退货在内的货币兑换及全球航运物流。随着越来越多的企业建立自己的国际航运能力，全球网上零售竞争将会加剧。

技术仍然是最重要的。技术仍然是网上零售的重要组成部分，无论是在零售商与消费者的互动中还是后台零售运作能力等方面。许多发达市场的零售商正在尝试前沿的客户界面技术，以期增加网上销售。美国眼镜电商Warby Parker利用最新的界面技术为消费者提供直观和操作简单的网上体验。该电商提供的"虚拟试戴"功能允许用户上传自己的照片，无须去实体店就可以尝试多种不同的风格，此外，其慷慨的免费退货政策也刺激了销售。

许多零售商也利用店内展台来增加网上销售额。英国零售商玛莎百货在很多小店内设置交互式屏幕和交易展台，消费者可以接触到网上及其他商店可以买到的更多产品。公司雇用了受过专门训练的女性时装顾问，并为他们配备了苹果iPad，以提升客户体验。

尽管客户界面技术毋庸置疑还是相当重要的，然而，当很多零售商开始专注于客户关系管理和订单处理、履约和送货等后台功能来促进销售时，客户界面技术作为竞争差异化的优势已渐渐削弱。法国第二大网上服装零售商Showroomprive已经投资了一个跨渠道的客户关系管理平台，集中了所有的电邮、电话和聊天方式。因此，公司可以优化消费者接触点，并基于对消费者的洞察有效地调整其产品。英国零售商乐购（Tesco）已经与Dematic合作，在其专用仓库配备自动化订单履行系统，专注于满足网上订单。乐购向自动化分拣和处理的转化加快了一倍的分拣速度，增加了出货量，且还保持了较高的网上服务水平。

三大市场类型

正如任何一种全球化战略一样，在考虑网上零售扩张和投资时主要考虑四个问题：

- 市场规模有多大？
- 市场如何快速增长？
- 消费者在市场中的表现如何？

- 是否已经建立了足够的基础设施来实现对网上客户的承诺？

图4中的矩阵图有助于将指数排名前30个国家的网上零售增长潜力与网上消费者的行为进行比较来回答这些问题。这种比较提供了对三种主要的网上零售市场类型的见解，我们统称为"三大市场类型"。

图4
三大市场类型

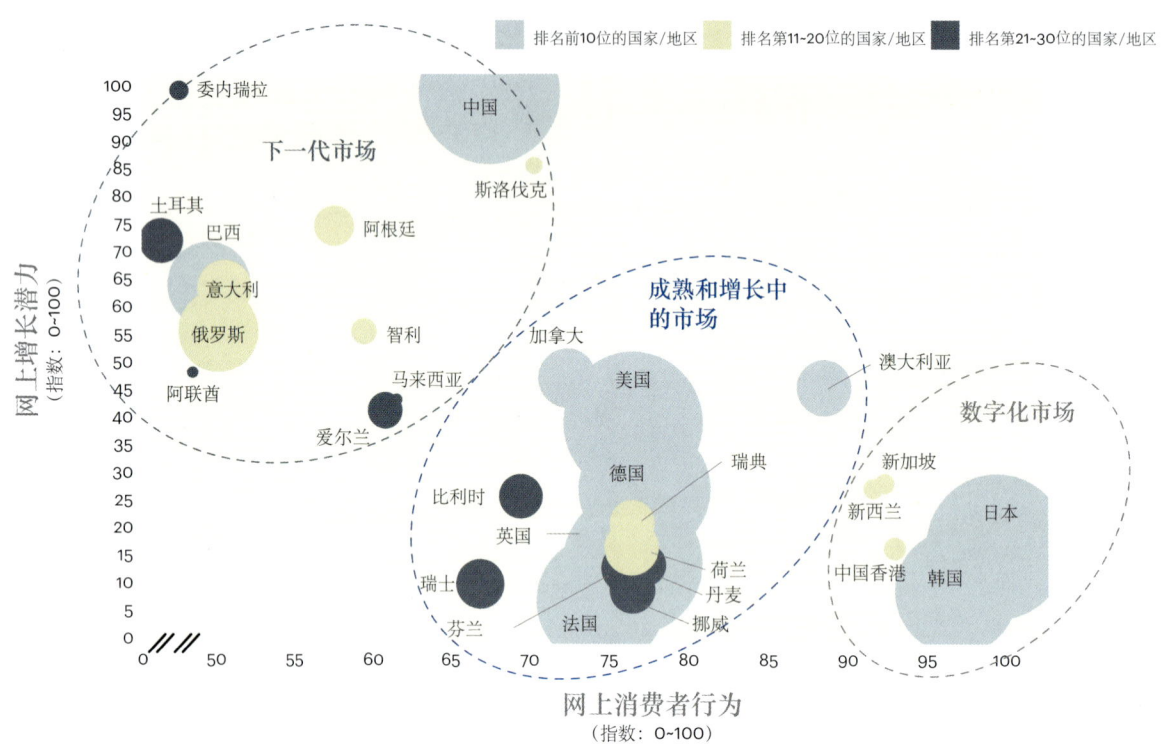

注：圆圈大小代表市场规模。网上增长潜力取决于连续5年的网上零售额年复合增长率预测。网上消费者行为取决于互联网渗透率、网上购物者占互联网用户的比例、人均移动电话拥有量以及每千人拥有的固定宽带接入用户。
来源：科尔尼分析。

在下面的章节中，我们将对这三个细分市场以及每个市场上的一些最重要的国家进行剖析。

下一代市场

下一代市场主要包括具有高增长潜力但网上消费者的行为稍逊、技术采用率也不如其他国家的发展中国家的市场。这些国家的互联网普及率通常较低，特别是几个最大的市场，比如中国（38%）、巴西（45%）和俄罗斯（49%），在这些国家庞大的农村人口中网络覆盖非常有限。但是，一旦这些人群有上网的机会，至少会有40%的消费者选择网上购物，尽管他们仍然会受到财务或物流基础设施的制约。当然这些市场上也存在着活跃的移动电话用户；在12个下一代市场中，只有中国和土耳其还没有达到一人一部移动电话的水平。

因此，在这些市场上建立网上业务需要注重品牌的发展，必须与赢得竞争所需的全球标准和交付能力保持一致。大多数发展中国家的市场的网上购物者会访问某个品牌的全球网站来了解商品的供应及定位。在某些方面，这些消费者的要求更加苛刻，他们希望获得的服务能满足他们对该品牌全球视野的看法。

未来五年内，随着基础设施的改善、农村地区互联网接入的扩大、财富的增加以及消费者不断增长的消费倾向，中国的网上零售市场将呈爆炸式增长。

中国（排名第1）：不断扩张的网上零售王国。中国的网上零售市场价值640亿美元（规模仅次于美国），且在未来五年内，随着基础设施的改善、农村地区互联网接入的扩大、财富的增加以及消费者不断增长的消费倾向，中国的网上零售市场将呈爆炸式增长，增至约2710亿美元[3]。中国拥有世界上最多的人口（13.6亿）、最大的互联网用户群（5.17亿）以及最多的网上购物者（2.2亿）。优惠的价格、五花八门的促销活动和广泛商品类型都鼓励了中国消费者进行网上购物而不是去实体店购买。另外，电子商务的便利性和购买满意度也推高了网上购物的频率。2012年网上购物次数超过20次的购物者占比54%，高于2011年的41%。随着中国农村日益普及的互联网以及基础设施缺陷的解决，网上购物的销量将进一步增加。

然而，网上零售商的利润着实来之不易。"竞相杀价"的定价心态控制着竞争激烈的市场，零售商纷纷降低价格来增加销量并扩大市场份额。在过去的一年中，当当网和京东商城已经爆发了价格战，特别是在新年和光棍节前夕。

此外，零售商们也在大幅度地增加投资，希望能提高分销和物流能力，进一步影响了利润。

淘宝和天猫等网上零售市场占据了中国约一半的电子商务业务，因为他们利用统一的平台有效地汇聚了消费者和零售商，并为消费者提供极具价格竞争力的各类网上零售产品。然而大多数的零售商尚未在中国建立自己的网络业务平台，他们都通过这些市场来销售产品，以期能获得更广泛的网上消费者基础，而多渠道零售商也依靠这些市场来加强自己的网上销售业务。优衣库、Gap、Esprit和李维斯都在天猫商城开设了网店，以作为其中国电子商务战略的一部分。然而，这一市场模式与单一的网上零售商展开了激烈的竞争，因为大多数零售商想要直接通过自己的网站销售产品，而不是与市场模式运营商分摊收入。

另外，由于中国的零售商进入网络空间的速度比较慢，因此中国目前正处于多渠道零售的早期阶段。多通道交叉运营的方式在中国是罕见的，因为大多数的中国零售商会独立地经营自己的实体店或者网上业务。最早尝试多渠道模式的是苏宁，客户可以在实体店进行提货、换货或者退回网上下单的商品，或者在实体店下订单，然后选择送货上门。随着网上零售业务的扩张，购物商场及百货公司积极地采用创新和转型成为"体验目的地"的方式参与竞争。例如，华冠天地百货店已重新规划其30%的楼层面积，改建成餐饮、娱乐和儿童活动设施。

物流方面的挑战（尤其是在非城市中心地带）仍然阻碍着中国发挥其全面的网上零售潜力。京东商城已经建立了自己的物流基础设施（包括最近开展的5.8亿美元的投资）来履行其在中国大陆地区的订单，现在已在23个城市提供当天送达的服务，次日送达的服务已覆盖至151个城市。

社交媒体也发挥着重要的作用。超过80%的中国消费者表示他们会在购买前先利用社交媒体来了解产品，66%的消费者在购买后会写商品评论。像新浪微博（类似于Twitter，在中国被称为"微博"）以及集手机短信及语音留言于一身的微信等社交平台上各有3亿多用户，鼓励消费者交流分享网上体验，并且还可以在博客商发表对产品的看法。有些社交媒体网站专注于特定的类别，如美容和时尚。例如，美丽说是一个社交购物网站，每月有超过3000万用户，甚至还吸引了宝洁、欧莱雅、资生堂等全球知名消费品生产商的关注。

---

[3] 文中所有货币均以美元计。

巴西（排名第8）：社交性电子商务的冠军。巴西是一个刚处于萌芽中的网上零售巨头，市场规模已达110亿美元，且预计在未来五年内将以20%的复合年增长率继续增长。全国有9000万互联网用户，其中57%会在网上购物，而且巴西也拥有拉丁美洲最大的社交网络。尽管目前只有45%的巴西人会接入互联网，但随着农村消费者互联网普及率的不断上升，网上销售将不断上升。2014年世界杯和2016年奥运会将进一步推动网上零售，到2017年，巴西的网上零售市场至少会达到280亿美元。

巴西不断壮大的中产阶级会选择在网上购物以最大程度地节约开支。为了获得更大的折扣，这些价格敏感的消费者通常会使用Peixe Urbano和Groupon等团购网站，以及Buscapé等比价网，这些比价网上一般会收集60000家店的700多万种产品信息。虽然每年有超过1000万名的巴西人会通过团购网站下订单，但一些零售商还是在缩减规模，因为只有少数客户会转化为忠诚客户。

巴西消费者在作出购买决定前，首先会在网上阅读产品评论，并征求朋友的意见（一般是通过社交网站）。巴西零售商Magazine Luiza鼓励消费者在Facebook上开设自己的数字化Luiza商店，在各自的朋友圈内推广和销售产品。据Magazine Luiza估计，通过这一社交网站模式实现的网上销售转化率比自己的网站高出40%。

鉴于巴西网上零售业的市场规模和增长潜力，可想而知竞争是相当激烈的。Americanas和Submarino网站的运营商B2W是巴西最大的网上零售商，拥有16.5%的市场份额。来自美国的沃尔玛和亚马逊各占1%的网上市场份额，并且正在想方设法实现增长目的。沃尔玛已经在圣保罗郊区建立了拉美地区的网上零售业务总部，并计划到2014年年底将原来的900名员工扩增到2000名。同时它还计划进口几款尚未在巴西出口的产品，比如Graco婴儿车和Rubbermaid冷却器。相反，亚马逊在巴西采取的却是另一种不同的方法，它限制了电子书和Kindle设备的品种。

物流和按时交货仍然是巴西网上零售商的挑战。为了解决这些问题，巴西政府已经投资空中和海运港口以加强基础设施，而B2W和沃尔玛等零售商正在建设专门的网上仓库，加快送货速度。B2W在遭受到关于其未能在圣诞节期间按时送货的负面新闻的打击后，已经计划斥资4.5亿美元打造10个网上分销中心。

俄罗斯（排名第13）：发展良好的网上零售先锋。俄罗斯的网上零售市场规模庞大（100亿美元），增长快速（2018年以前的复合年均增长率为18%），且正在迅速发展成为吸引国内外零售商的主导力量。俄罗斯拥有欧洲最多的互联网用户（7000万用户，大约占总人口的一半），网上购物者人数达3300万。莫斯科和圣彼得堡加在一起占俄罗斯网上零售市场的3/4，但随着中小城市逐渐覆盖互联网，销量仍将继续增长。

俄罗斯的网上零售市场增长快速，且正在迅速发展成为吸引国内外零售商的主导力量。

鉴于俄罗斯庞大的网上零售市场规模和巨大的升值潜力，网上竞争日趋白热化。市场分散，目前还没有一个电商拥有超过4%的市场份额，所以不管是单一的网上零售商还是多渠道零售商都在进行投资，希望能增加自己的销量和市场份额。网上时装零售商Lamoda成立了自己的物流和快递服务团队，可以在25个城市提供服装、鞋类和配饰的次日达服务。一旦收到货物后，购物者可以有15分钟的试穿时间，而且经过培训的快递员甚至还可以提供风格和尺寸的建议。

外国零售商也已经瞄准了俄罗斯网上市场。快时尚零售商Zara于2013年推出了网上零售业务，消费者可以在其网站上买到跟实体店中相同的全系列的女士、男士和儿童商品。亚马逊也已经于2013年在俄罗斯发布招聘启事，申请储存和送货专利，暗示了其打算进军俄罗斯的计划。

具有竞争力的价格和全面的品种吸引俄罗斯购物者上网购物。购物者可以利用俄罗斯搜索引擎Yandex寻找最新的网上促销活动，并对不同零售商的价格进行比较。而莫斯科和圣彼得堡以外地区的俄罗斯人也可以通过网上零售渠道访问本地商店不提供的名牌商品。虽然俄罗斯的基础设施相对西方国家而言还是比较落后的，交货时间通常以周计算而不是几天，但农村消费者还是很愿意花时间去等待价格优惠的名牌商品。

俄罗斯的物流基础设施还是亟待改善的，这样才能充分发挥其增长潜力。许多零售商已经开始着手靠自己的力量来解决这个问题，他们积极投资物流和配送能力，有效地履行客户订单，特别是在较小的城市。网上零售商Ozon已经在130个城市建立了提货点多达2100个的自有分销网络，并计划到2015年前再新增2000个提货点。它在叶卡捷琳堡建造了16200平方米的第二大仓库，为实现莫斯科和圣彼得堡以外地区的客户订单提供服务。

此外，俄罗斯的金融基础设施也制约了网上零售业务的增长。在俄罗斯只有1/3的家庭拥有信用卡，而且很多俄罗斯人都不信任网上交易的安全性，因此现金仍然是这个国家最主要的付款方式。大多数网上零售商提供货到付款的交付模式，而其他一些支付机制也正在吸引消费者使用。其中最引人注目的一个例子是QIWI，这种支付服务可以方便用户在线付款或者向借记卡划账。QIWI最近与Visa合作创建Visa Virtual，消费者可以将钱存入此账户，然后就可以像使用信用卡一样操作了，据说目前已有1100万用户。然而，每单交易最高约500美元的交易额限制了消费者在网上采购大件商品。

成熟和增长中的市场

这类国家主要包括成熟和增长中的、且仍然具有吸引力的网上零售市场。购物者通常都可以上网（互联网普及率高达80%或以上），而且经常在网上购买产品（超过60%的互联网用户会在网上购物）。然而，这些市场的经济增长前景也不尽相同。正如预期的那样，澳大利亚、加拿大和美国等网上购物比例较低的国家（互联网用户网上购物的比例在60%~70%）相比北欧和西欧（互联网用户网上购物的比例在70%~80%）等网上购物比例更高的国家发展潜力更大。

展望未来，想要在这些市场取得成功的关键将取决于所有客户接触点的创新改善，更深入地了解消费者为什么选择网上购物而不是通过其他渠道，以及消费者有哪些购物期望，包括从购买前直到收货的整个过程。

> 展望未来，零售商想要在成熟和增长中的市场上取得成功，必须**创新改善所有客户接触点、更深入地了解消费者选择网上购物的原因，以及消费者从购买前直到收货的整个过程中的购物期望。**

美国（排名第3）：　创新的巨人。美国好比就是全球网上零售市场上一头800磅重的大猩猩。它拥有世界上最大的网上零售市场（当前市场规模1770亿美元且预计在2017年前差不多还会翻一番）、先进的基础设施以及富裕、庞大、积极且早已习惯了网上购物的消费群。近2.5亿美国人使用互联网，1.77亿美国人经常在网上购物。美国61%的移动电话用户使用的是智能手机，34%的人拥有平板电脑。

然而，美国的网上零售市场仍然是相当分散的，超过450家零售商占据了70%的销售额，而仅有的网上零售巨头只有亚马逊（占17%的市场份额）和eBay（占6%的市场份额）。亚马逊通过一系列举措，比如增加美容和时装等快速增长的全新商品类别，开发了Kindle平板电脑（带来了电子书等其他娱乐的未来销售额），同时还建立了先进的交付网络（包括Amazon Prime等其他额外优惠允许两天的免费国内送货），使得美国的网上零售市场份额比5年前的7%增加了一倍多。美国排名前十大网上零售商中有5家属于多渠道零售商，包括苹果、沃尔玛、西尔斯、百思买和梅西百货。

美国的网上购物者期望得到更有竞争力的价格、方便的付款方式、快速的送货和免费的退换货以及一流的客户服务。

美国的网上购物者期望得到更有竞争力的价格、方便的付款方式、快速的送货和免费的退换货以及一流的客户服务。同时他们也很看重购买商品的方案选择以及按照他们选择的渠道收货。仅仅以具有竞争力的价格提供广泛的商品类型将不足以与竞争者抗衡。未来网上领先者将打造创新的商业模式，为日渐成熟的消费者提供个性化的产品与服务。

美国人积极响应能够提供给购物者更具吸引力的零售体验的协作式与个性化的网上商业模式的创新想法。Rent the Runway是一个允许女性在线浏览并租用服装和配饰的流行网站。Gilt Groupe会根据会员的在线浏览习惯和历史采购记录，每天以发送个性化电子邮件的方式告诉会员具体的销售信息。

由于美国人都非常看重用自己选择的渠道购物，因此零售商们正在通过大量投资来整合渠道。梅西百货的网上市场份额自2007年以来已经翻了一番，因而称为线上和线下销售网络的先行者。公司实施店到门的策略，将300多家门店作为macys.com官网的订单履行中心。梅西百货的顾客可以看到店内产品，并决定是否在网上购买还是直接在店内购买。时装零售商H&M也已经进入了美国网上零售市场，它在曼哈顿推出快闪店，购物者可以亲手触摸和感觉衣服的质地，然后在网上根据自己的尺寸下订单，最后在两到三天的时间里免费送货上门。

英国（排名第4）：多渠道销售的领先者。 英国活跃的网上消费群和先进的基础设施使其成为一大极具吸引力的网上零售市场。英国拥有5000万互联网用户（占总人口的82%），其中80%会在网上购物。在网上购物者中，有45%的人使用智能手机进行冲浪和购物。英国的网上零售市场价值480亿美元，且预计到2017年将增长至730亿美元，未来几年内，英国的网上零售市场必将为多渠道零售商和单一的网上卖家带来巨大的增长机会。

亚马逊引领英国网上零售市场（占16%的市场份额），其次是乐购（9%）和eBay（8%）。许多零售商都在积极投资希望能抢占更大的市场份额。杂货商乐购和阿斯达都投资于"隐形商店"，以跟上网购业务发展的步伐，同时补充其店内订单履行的模式。一般商品零售商雅高公司近日宣布与eBay试行合作，雅高的店面将作为eBay网上订单的提货点。这样就为eBay增添了网订店取（Click and Collect）的新模式，而雅高则可以借此获得更多的人流量。

英国的网上零售市场远远领先于世界上大多数其他市场，因为乐购和阿斯达等零售商看到了有利的消费群和人口趋势，他们很早就已经投入巨资开展网上业务[4]。原因之一是，英国消费者平均每周购买食品杂货。其二，英国地域不广，人口密度高，网上下单和送货上门都是非常经济可行的。全球领先的网上杂货商乐购自1996年以来就在网上开展业务，阿斯达和Sainsbury也在1998年仅随其后。乐购的坚持终于得到了回报，2006年首次在网上零售渠道实现盈利，目前其网上业务占其总收入的7%。

英国消费者有着多年的网上购物经验，他们的需求也随着时间而演变。在过去，购物者会去网上研究产品，找到最优惠的价格，购买很难找到的物品。如今，购物者更多的需求是详细的产品信息、评论、免费送货上门、更快的运输方案、无忧退货和客户服务。在未来，实体店可能主要是用来满足即时的购物需求、网上订单提货或者试用产品展示等。

[4] 请登录www.atkearney.com，参阅 *A Fresh Look at Online Grocery* 了解有关网上食品杂货的更多内容。

随着市场的成熟，跨渠道服务已逐渐演变成为多渠道零售的标准模式。科尔尼近期研究发现，英国大多数的多渠道零售商提供跨渠道的退换货和不同类型的送货服务，同时在无存货时为购物者指明其他备选渠道。

多渠道整合正在成为那些试图想要脱颖而出的零售商所面临的一个更大的问题。弗雷泽百货公司（House of Fraser）还专门推出了一款移动应用程序，客户可以查看商店或网上库存情况，然后决定是否想要自己上门取货还是送货到家。House of Fraser还为购物者提供店内、网上或应用程序上有效的产品促销活动信息。玛莎百货（Marks&Spencer）提供跨渠道的交易选择，并且还能同步各种渠道的购物袋。消费者可以在实体店访问他们的购物车、网上账户（通过工作人员的iPad或店内KIOSK多媒体自助服务系统），以及打电话给呼叫中心的服务代表。

德国（排名第6）：不断增长的网上零售市场。德国的互联网覆盖广泛（互联网普及率高达83%），消费者非常热衷于电子商务渠道（77%的购物者会在网上购物），因而其网上零售市场价值270亿美元，且正在成为一大全球网上零售的推动力量。2017年前，德国的网上零售市场预计将以每年12%的速度增长，超过了西欧其他国家。

亚马逊和奥托拥有德国近一半的网上市场，但其他电商也都纷纷摩拳擦掌，想要分一杯羹。其中一家网络电子商城Zalando自2009年建立以来每年收入都能翻一番，这都得益于其针对年轻女性消费者的积极的广告策略，并且还推广其宽松的退货政策，以及为扩大SKU品种所作的投资。传统零售商要么收购单一的网上零售卖家，要么与他们合作，这样才能在德国网上零售市场上占得一席之地。其中一个例子就是欧洲最大的消费电子零售商万得城收购了其在网上的竞争对手电子商务平台Redcoon。

德国人是精明的网上购物者，拥有丰富的网上研究和产品购买经验。德国人平均每天会花1个半小时的时间上网和购物，因为网上的价格优惠和产品种类繁多。德国人经常利用Idealo和Preisvergleich等比价网，找到最新优惠。德国人也很看重朋友的意见：尽管德国的社交媒体起步较慢，但仍有43%的人会在购买前阅读社交网站上有关产品的评论意见。

德国零售商正在投资希望能在社交化购物方面领先于他人。时装零售商奥托和戴希曼通过将自己的网店与Facebook网页整合的方式，尝试社交化电子商务的新模式。这些零售商也成立了专门的社交媒体团队进行监控，并与Twitter和Pinterest上的粉丝互动。

跨渠道零售仍处于起步阶段，大多数多渠道零售商独立经营实体店和网上业务。尽管如此，在德国确实有着一些有关多渠道零售的先进实例。阿迪达斯已经开设了10家"Neo"店，将社交媒体和网络整合并入实体店的购物体验中。这些商店针对的是14~19岁的年轻人，店内设有交互式的触摸屏，消费者可以再数字人体模型上测试各种服装组合，并创建虚拟的购物袋。然后消费者就可以在社交网站上分享和交流这些购物袋，最后通过网络或移动设备购买产品。

法国（排名第7）："线上下单线下自取"的开拓者。法国拥有价值260亿美元的网上零售市场和活跃的网上消费群，这都是由经验丰富的网上购物者带来的。法国拥有5000万互联网用户（互联网普及率为80%）和3500万经常性的网上购物者，2017年前的网上购物开支将超过360亿美元。

竞争激烈的法国网上零售商想方设法要满足消费者的期望，包括从购买前到交货的整个过程。其中，亚马逊凭借广泛的产品种类（200万种图书，相比Fnac是500000种）、低廉的价格、高效的送货上门服务，在法国网上零售市场上占领先地位，市场份额为8%。仅随其后的是苹果和Kering（各占7%的市场份额）。

法国人向来都热衷于购物，但在高昂价格的压力下不得不转向网络。大多数的法国消费者会在网上了解最新的促销资讯，他们把互联网当作是满足超值购物的最佳渠道。因此，比如Cdiscount等折扣网站在法国很受欢迎，因为他们迎合了消费者对网上价格的敏感度。Vente-privee是一家品牌服装折扣网站，这个词在法语里是指"秘密特卖"的意思，即仅向其1200万的会员出售价格优惠的时装产品。

法国人向来都热衷于购物，但在高昂价格的压力下不得不转向网络。大多数的法国消费者会在网上了解最新的促销资讯，他们把互联网当作是满足超值购物的最佳渠道。

零售商不断地调整自己的网上定价，希望能捕捉到消费者的需求。大卖场E.Leclerc在网上提供具有竞争力的价格，并且还经营着一个价格比较网站quiestlemoinscher.com（意思是"这是最便宜的"），专门用来评估不同零售商的价格。E.Leclerc还在店内设置了KIOSK多媒体自助服务系统，消费者可以访问网站比较价格。

法国消费者也很看重网络购物的便利性，特别是食品杂货店。15%的法国家庭会在网上购买食品杂货，然后开车去就近的门店货仓库提货，这种模式被称为"线上下单线下自取"（Drive Model）的模式。在法国有2000多个像这样的提货点，而随着欧尚、家乐福、Intermarché等零售商不断投资这一概念模式，这样的提货点会越来越多。如今，这一模式覆盖了2.8%的法国整体零售市场，相当于成熟老店阿尔迪（Aldi）的市场份额，而且该份额预计到2020年将继续增长到20%。

数字化市场

数字化市场指的是成熟的零售商仍有机会实现增长的亚太地区的发达国家和地区。这些市场的特征是科技采用率高，消费者网上行为稳定，基础设施先进，以及具有创造性的新型网上购物方式的历史。预计这些国家和地区的增长率不如其他市场，因为这些市场上的网上购物早已根深蒂固。正因为如此，成熟的网站、引人注目的网上体验以及高效的最后一公里送货都是非常重要的增长因素。市场领先者将继续投资客户界面技术和后台能力，从而使他们的产品和服务脱颖而出。

日本（排名第2）：不断发展的传统。 日本是一个网上零售帝国，拥有1亿互联网用户，7500万网上购物者和520亿美元网上销售额。日本拥有先进的金融基础设施，消费者可以有效地进行网上购物，再加上日本卓越的物流基础设施可以在同一天内完成很多网上订单的交付任务。在接下来的五年中，日本的网上零售市场预计将达到800亿美元。

乐天和亚马逊加在一起占40%的市场份额，其余份额则由形形色色的网上零售商构成。2012年，乐天（"乐观"的意思）投资1亿美元给Pinterest，为了进一步巩固其日本网上消费者数量第一的地位。日本的消费者可以把他们的乐天账号与Pinterest账号链接，然后在网上验证、点击共享以及购买商品。小型的单一网上零售商，如Magaseek，正在采用建立战略合作伙伴关系的方式进军日本市场。Magaseek与瑞典科技公司Virtusize合作，允许让顾客以虚拟的方式尝试20000多种时尚单品，而且还能将Magaseek的服装与自己衣柜中的衣服进行比较。通过合作，Magaseek希望能缓解消费者对服装是否适合的顾虑，鼓励网上购物。

日本的"联网消费者"为了方便而选择网上购物。很多人都拥有多个移动设备，保持电脑、手机和平板电脑的互相连接。他们更看重个性化的、热情好客的购物环境，体现出充满日本情调的礼貌、价值和尊重，即Omotenashi（无微不至的款待）。然而，有关债务的保守文化使日本消费者在使用信用卡进行网上购物时显得犹豫不决，尽管日本已经是世界上每户信用卡持有量第三高的国家（每户6.9张信用卡）。为了应对日本人对债务的厌恶情绪，大多数零售商提供konbini付款方式，消费者在网上购物，打印收据，然后在当地的便利店用现金支付。

零售商正在投资网上功能，以满足日本消费者的需求。例如，亚马逊已经在日本全国范围内建立了6个订单履行中心，从而可以为主要城市提供当日达或次日达服务。2012年年底，乐天收购了法国物流仓储公司Alpha Direct，旨在加强其在日本的物流能力，并且提供能够比肩亚马逊的更便利的送货方案。

播撒成长的种子

零售商纷纷拓展各自的网上业务，他们在世界范围内建设覆盖整条电子商务价值链的能力，期望能满足消费者的需求和顾客的愿望。市场赢家将会认识到不同市场的共性，制定适合本土市场的网络扩张战略。与往常一样，无论在哪里，成功的零售商都能够很好地管理客户体验，包括从浏览和社区互动到下单购买直到送货和退货的完整过程，从而可以保持和增加市场份额。

在这个快速发展的市场，有一点是清楚的，即网上零售是零售商实现增长的关键所在。

作者

Hana Ben-Shabat，科尔尼全球合伙人，常驻纽约办事处
电子邮箱：hana.ben-shabat@atkearney.com

Mike Moriarty，科尔尼全球合伙人，常驻芝加哥办事处
电子邮箱：mike.moriarty@atkearney.com

Parvaneh Nilforoushan，科尔尼顾问，常驻纽约办事处
电子邮箱：parvaneh.nilforoushan@atkearney.com

作者在此由衷感谢Bridget Murphy，Chong Feng和Adam Coe为本报告撰写作出的贡献。

ATKearney

煤化工主要路径评估

在中国西北部很多地区煤炭资源丰富，价格低廉，逐渐被应用到煤化工生产中。煤化工产业规模仍然很小，但发展却非常迅速。评估煤化工产业细分市场的吸引力需要从多个方面出发综合考虑。

摘要

在中国西北部很多地区煤炭资源丰富，价格低廉，逐渐被应用到煤化工生产中。煤化工产业规模仍然很小，但发展却非常迅速。评估煤化工产业细分市场的吸引力需要考虑以下因素：运营记录、中央政府和地方政府支持、技术的成熟水平、煤炭相对于其他原料的经济优势、终端市场吸引力、环境影响等。

- **巨大吸引力：煤制乙二醇（CTEG）和煤制烯烃（CTO）**。中国政府大力提倡煤制乙二醇和煤制烯烃的发展，以降低对进口的依赖。虽然目前正在运营的厂家数量不多，但有多个项目已经完成规划，将来能够大幅提高产能。乙二醇和乙烯生产的经济效益非常诱人，基于当前的煤炭和石油价格，利润率可达到30%以上。但发展此类技术也面临一些挑战，如技术成熟度和环境影响等。

- **中等吸引力：煤制油（CTL），煤制气（CTG）和煤制甲醇（CTM）**。燃油、天然气和甲醇是运输、公用事业和化工等主要行业的关键资源。因此，政府对煤炭的大量开采和降低进口依赖性等方面的支持力度非常大。然而，为了避免行业过热和产能过剩，政府的全面扶持还是受到一定限制，尤其是对于甲醇的生产，尽管甲醇汽油混合使用可以提升其吸引力。

- **中低吸引力：煤制氨（CTA）**。中国的煤制氨技术非常成熟且颇具规模。90%以上的氨用于肥料生产。然而，煤制氨面临过于分散、技术水平低下和产能过剩等问题。因此，政府计划推动技术升级和产业整合。此外，煤制氨领域的竞争力不高，根据当前的石油和天然气价格，只有天然气制氨具备少量优势。

煤化工各细分产业的发展前景

评估煤化工路径时需要考虑很多因素，如已经平稳运营的工厂、中央政府和地方政府的支持、所采用技术的成熟度、煤炭的经济便利性、环境影响等。这些因素在很大程度上影响各细分产业的吸引力（见图1）。

图1
煤化工评估矩阵

	煤制油(CTL)	煤制气(CTG)	煤制乙二醇(CTEG)	煤制甲醇(CTM)	煤制烯烃(CTO)	煤制氨(CTA)
采用	●	●	●	○	●	○
政府支持	◐	◐	●	◐	●	◐
技术成熟度	◐	◐	◐	◐	◐	●
经济效益	●	◐	●	◐	●	○
环境影响	○	○	◐	◐	◐	◐
总体吸引力	◐	◐	●	◐	◐	◐

来源：科尔尼分析。

1. 煤制油（CTL）

由于中国高度依赖进口石油，所以煤制油产业似乎特别有吸引力。然而，尽管煤制油技术相对比较成熟，但在中国的应用仍处于初期阶段。对环境的严重影响和大量的水资源消耗是限制煤制油发展的巨大阻碍。中国西部和北部地区新兴的煤炭生产中心天气干旱，水资源缺乏，而在煤直接液化（DCL）过程中产生1吨石油需要消耗13吨水，因此煤制油在很多地区缺乏可行性。另外，除非能够与碳捕捉和存储（CCS）技术有效结合，否则生产过程中的二氧化碳排放也会限制煤制油技术的发展。但是碳排放和存储技术尚不成熟，不具备商业可行性，也没有足够的政策扶持。然而鉴于中国煤炭的低廉价格，煤制油仍然具备相当大的吸引力，盈亏平衡范围为65美元/桶~100美元/桶。中国政府现在还不愿为大规模生产亮绿灯。截至目前，只建立了少量示范性工厂，外国企业要想获得项目审批则更加困难。壳牌和萨索尔曾经提议与领先煤炭生产企业神华建立合作，但最后因受到阻碍未能如愿。神华自己建立了一个煤直接液化（DCL）工厂，据神华称该工厂三年以来运营平稳，且实现了赢利（见图2）。

图2
煤制油

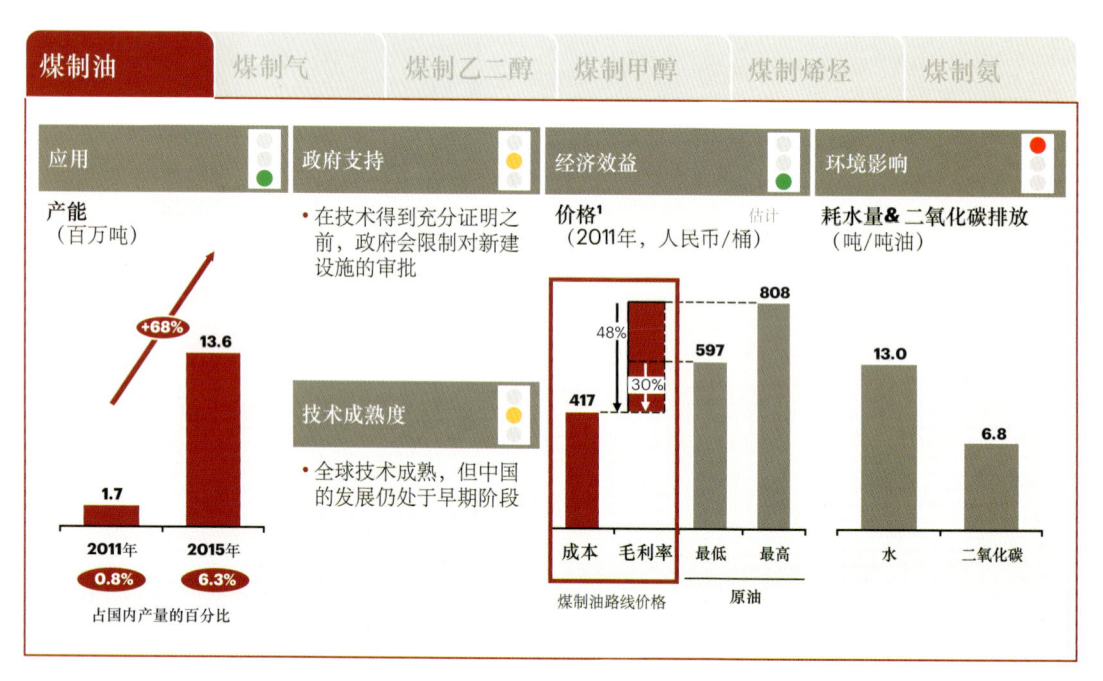

| 煤制油 | 煤制气 | 煤制乙二醇 | 煤制甲醇 | 煤制烯烃 | 煤制氨 |

应用 🟢
产能（百万吨）
2011年 1.7（0.8%） → 2015年 13.6（6.3%） +68%
占国内产量的百分比

政府支持 🟡
- 在技术得到充分证明之前，政府会限制对新建设施的审批

技术成熟度 🟡
- 全球技术成熟，但中国的发展仍处于早期阶段

经济效益 🟢
价格¹（2011年，人民币/桶）估计
成本 417，毛利率 48%/30%
煤制油路线价格
原油：最低 597，最高 808

环境影响 🔴
耗水量&二氧化碳排放（吨/吨油）
水 13.0，二氧化碳 6.8

¹ 基于2011年平均水平，人民币与美元汇率6.38，油价为布伦特离岸价707元/桶，煤价为内蒙古坑口价335元/吨。
来源：海通证券报告；科尔尼。

然而，很多人认为该技术仍不成熟，无法大规模商业化。工信部也表示近期不会批准类似项目。中国大部分其他试点工厂目前都是通过合成气间接液化制油。预计到2015年年末，煤制油产能仅能达到1360万吨，占预计国内石油产量的6.3%。

2. 煤制气（CTG）

煤制气（CTG）技术现已成熟，在煤矿丰富的西部地区，特别是新疆地区吸引了各方面的浓厚兴趣，其中表现出最大兴趣的公司包括能源巨头广汇和大型电力公司大唐。和煤制油技术一样，煤制气过程也面临水资源消耗和二氧化碳排放等方面的挑战。另外，因为大部分的天然气消费都发生在东部沿海地区，所以煤制气还面临缺乏输送设施的挑战。

考虑到这些，国家发改委宣布只批准产能大于20亿立方米/年的项目，多个申请目前仍在等待审批。2015年，预计煤制气产量将达到226亿立方米，占预计国内天然气产量的13.3%。

尽管预计比较乐观，但目前煤制气的经济性受国内天然气价格降低影响，相对进口天然气和液化气竞争力十分有限。根据现行煤炭价格，只有当天然气价格高于0.38美元/立方米时，煤制气才具备经济性（见图3）。

图3
煤制气

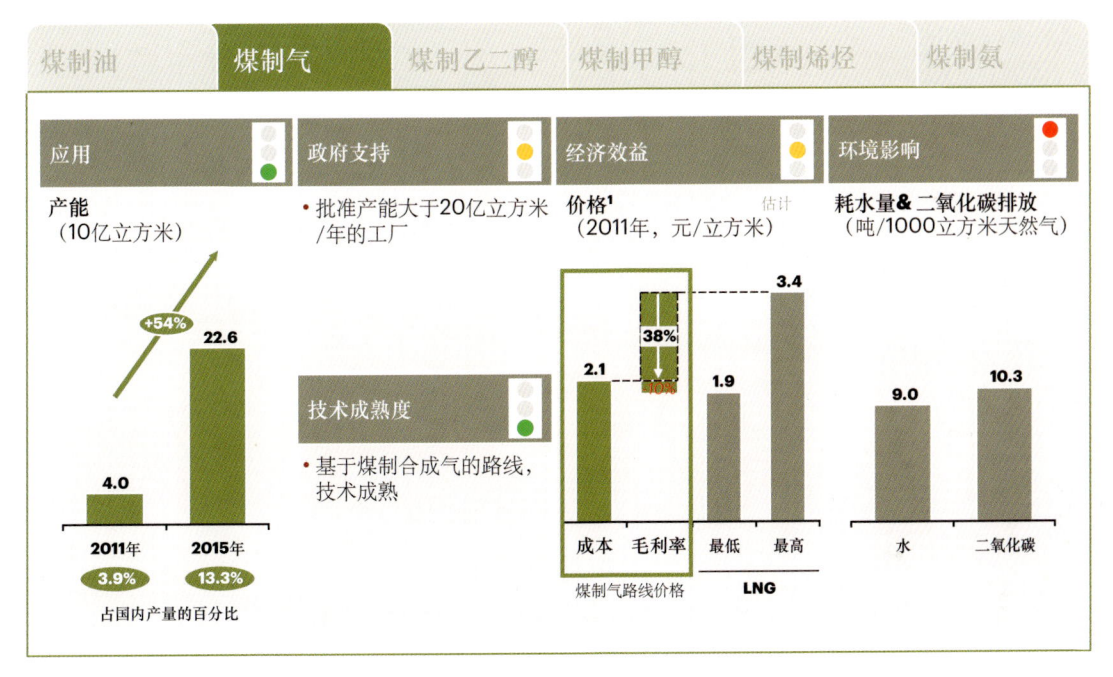

| 煤制油 | **煤制气** | 煤制乙二醇 | 煤制甲醇 | 煤制烯烃 | 煤制氨 |

应用 🟢	政府支持 🟡	经济效益 🟡	环境影响 🔴
产能（10亿立方米） 2011年: 4.0 (3.9%) 2015年: 22.6 (13.3%) +54% 占国内产量的百分比	• 批准产能大于20亿立方米/年的工厂 技术成熟度 🟢 • 基于煤制合成气的路线，技术成熟	价格¹（2011年，元/立方米） 成本 2.1　毛利率 38% 煤制气路线价格 LNG 最低 1.9　最高 3.4 估计	耗水量&二氧化碳排放（吨/1000立方米天然气） 水 9.0　二氧化碳 10.3

¹ 基于2011年平均水平，人民币与美元汇率6.38，LNG价为深圳到岸价，煤价为内蒙古坑口价335元/吨，煤制气成本基于北京燃气20亿立方米装置计算。
来源：化工学报，科尔尼。

近期的一个实例就是由新疆巨点和万向公司合资的一个项目。该项目一期将于2016年上线，初始产能为8.5亿立方米。项目二期将在一期上马两年后竣工，届时项目产能将增至34亿立方米。

3. 煤制乙二醇（CTEG）

煤制合成气技术已经完全成熟。乙二醇可以用合成气通过草酸二甲醇路线制取，用于生产PET和其他聚酯类产品。自2000年以来，中国PET使用量的复合年增长率为18%，而且当前国内产能严重不足，70%以上的需求来自进口（见图4）。

因此，政府大力支持此类项目，以提高国内乙二醇的产量。目前为止，中国只有一家煤制乙二醇工厂在运营，该厂位于内蒙古东部的通辽市，现已投入运营两年多，但仍在积极进行技术攻关以提升最终产品质量。2011年，该厂的产量仅为20万吨。预计到2015年，多家生产商的总产量将达到190万吨，能够满足当年国内需求量的16%。煤制乙二醇路线具备一定的竞争力：如果煤和石油价格维持当前水平，煤制乙二醇的利润率可高达30%。

4. 煤制甲醇（CTM）

在中国，通过煤制合成气路线制成甲醇的技术非常成熟，占国内甲醇产量的79%左右（而世界范围92%的甲醇是用天然气路线生产的）。自2007年以来，国家发改委只审批煤制合成气路线生产甲醇

图4
煤制乙二醇

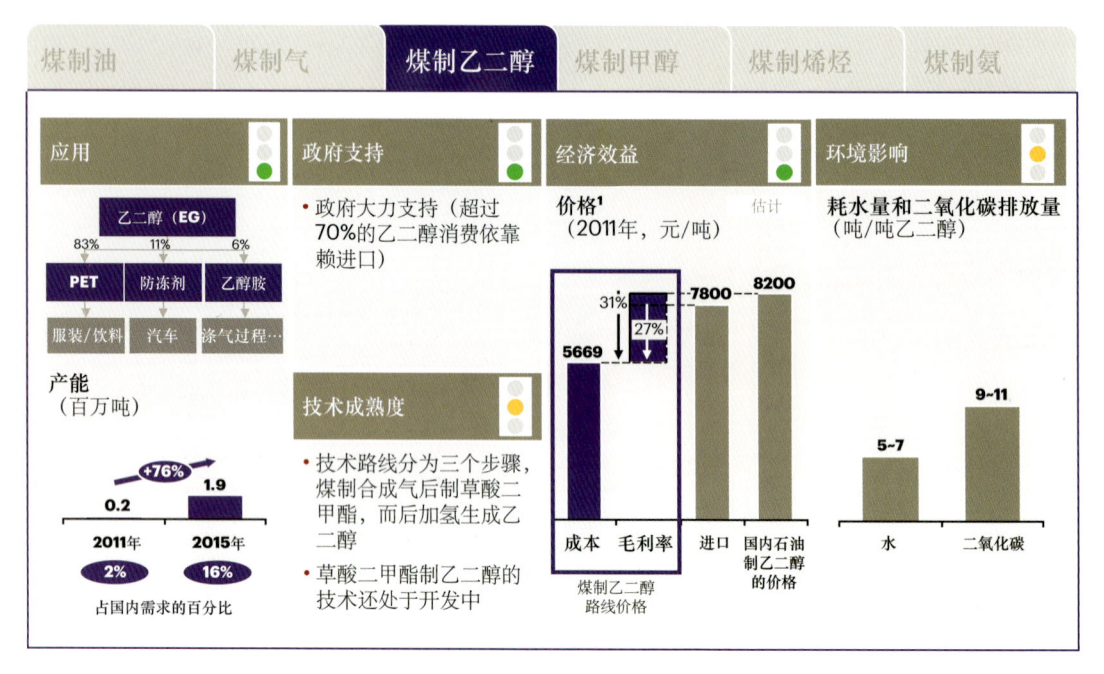

| 煤制油 | 煤制气 | **煤制乙二醇** | 煤制甲醇 | 煤制烯烃 | 煤制氨 |

应用 🟢

乙二醇（EG）
83% → PET → 服装/饮料
11% → 防冻剂 → 汽车
6% → 乙醇胺 → 涤气过程…

产能（百万吨）
2011年：0.2（2%）
2015年：1.9（16%） +76%
占国内需求的百分比

政府支持 🟢
- 政府大力支持（超过70%的乙二醇消费依靠赖进口）

技术成熟度 🟡
- 技术路线分为三个步骤，煤制合成气后制草酸二甲酯，而后加氢生成乙二醇
- 草酸二甲酯制乙二醇的技术还处于开发中

经济效益
价格¹（2011年，元/吨） 估计
成本 5669，毛利率 ↓31%、↓27%
煤制乙二醇路线价格
进口 7800
国内石油制乙二醇的价格 8200

环境影响 🟡
耗水量和二氧化碳排放量（吨/吨乙二醇）
水：5-7
二氧化碳：9-11

¹ 基于2011年平均水平，人民币与美元汇率6.38，乙二醇进口价为中东乙烷路线价格，煤价为内蒙古坑口价335元/吨。
来源：海通证券；科尔尼。

的工厂，不再审批用天然气生产甲醇的项目。政府正计划推动甲醇生产领域的整合，改善该领域由众多小型企业参与的分散状态：2011年，国家发改委规定，新建甲醇厂年产能不得低于100万吨。在中国，近一半的甲醇用于生产二甲醚（DME）和甲醛，但预计甲醇作为燃料的使用将持续增加。尽管煤制甲醇已经出现产能过剩现象，但它的发展仍然非常迅速：目前产能利用率仅为40%。未来，甲醇汽油的使用或是一条新的出路（见图5）。

在煤制甲醇工艺中，巨大的耗水量仍是一个难题。每生产1吨甲醇，需要消耗4.6吨水。但不管怎样，甲醇生产一直被认为发展空间巨大，很多领先的煤炭生产企业都纷纷进入煤制甲醇产业。业内人士表示，到2015年，甲醇的产能可能会增加到6800万吨/年，接近2010年的两倍。

5. 煤制烯烃（CTO）

在煤炭资源丰富且价格低廉的西部地区，利用煤炭生产烯烃具有很大的吸引力。截至目前，中国的烯烃生产严重依赖进口原料：例如，2011年，中国87%的乙烯使用石油生产，11%使用天然气生产，大部分依靠进口，仅1%使用国产煤炭生产（见图6）。

所以，中国政府大力支持煤制烯烃的发展，近期批准了多个重点项目——以甲醇制烯烃（MTO）技术为主。这种技术的投资规模较大，而且尚未成熟。煤制烯烃发展的障碍还包括严重的环境影响和大量的水资源消耗，但有一些企业正在研发相关技术，希望能将这些影响降到最小。预计2015年，煤制乙烯的产量将超过500万吨/年，是2011年产能的8倍，相当于国内烯烃总产量的近1/5。煤制乙烯具有相当高的竞争力：如果煤炭和石油价格都维持在当前的水平，煤制乙烯技术的毛利率可达到近60%。

6. 煤制氨（CTA）

中国的煤制氨技术非常成熟且颇具规模。中国是世界上最大的合成氨生产国，占全球总产量的1/3。煤炭是煤制氨的主要原料，满足大约76%的需求。在中国，90%以上的氨用作肥料。该领域虽增长

图5
煤制甲醇

| 煤制油 | 煤制气 | 煤制乙二醇 | **煤制甲醇** | 煤制烯烃 | 煤制氨 |

应用 🔴

产能
（百万吨）

产能利用率约40%

+15%

30.3 (2010年) → 59.9 (2015年)

79% → 88%

占国内甲醇产能的百分比

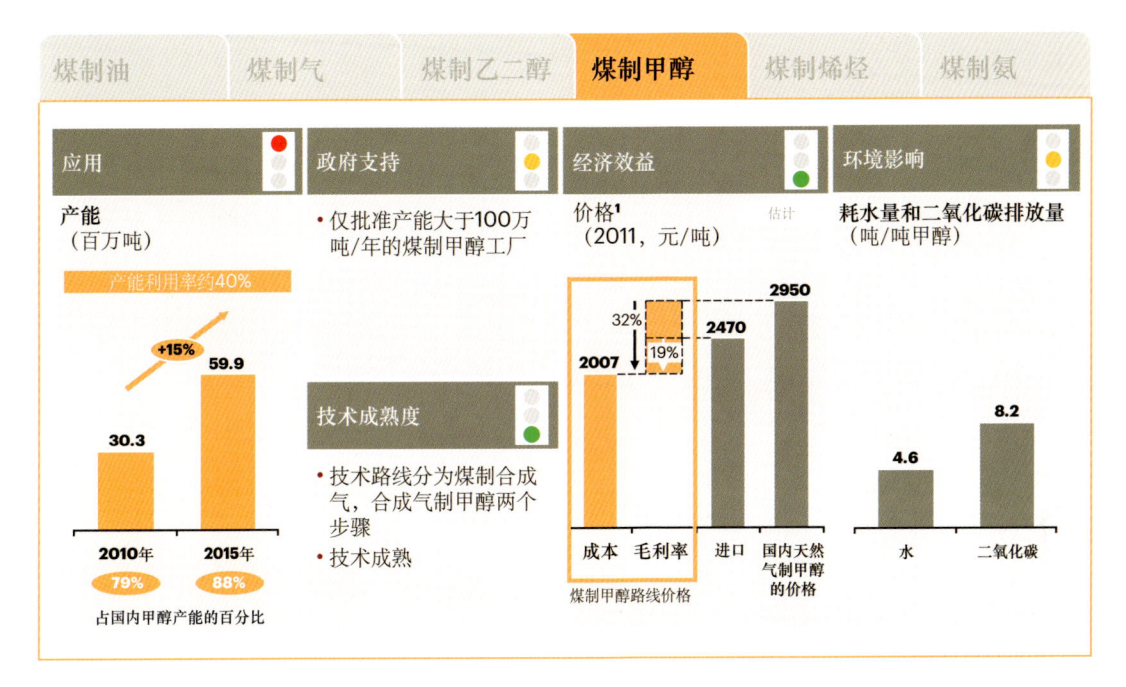

政府支持 🟡
- 仅批准产能大于100万吨/年的煤制甲醇工厂

技术成熟度 🟢
- 技术路线分为煤制合成气，合成气制甲醇两个步骤
- 技术成熟

经济效益 🟡

价格[1]
（2011，元/吨）   估计

成本 2007，32%↓，毛利率 19%
进口 2470
国内天然气制甲醇的价格 2950

煤制甲醇路线价格

环境影响 🟡

耗水量和二氧化碳排放量
（吨/吨甲醇）

水 4.6
二氧化碳 8.2

[1] 基于2011年平均水平，人民币与美元汇率6.38，甲醇进口价为中东天然气路线价格，煤价为内蒙古坑口价335元/吨。
来源：发改委，海通证券，化肥工业，科尔尼。

图6
煤制烯烃

| 煤制油 | 煤制气 | 煤制乙二醇 | 煤制甲醇 | **煤制烯烃** | 煤制氨 |

应用 🟡

产能
（百万吨）
以乙烯为例

+71%

0.6 (2011年) → 5.1 (2015年)

3.9% → 18.9%

占国内烯烃产量的百分比

政府支持 🟢
- 政府大力支持
- 批准了多个项目，推出了多项投资

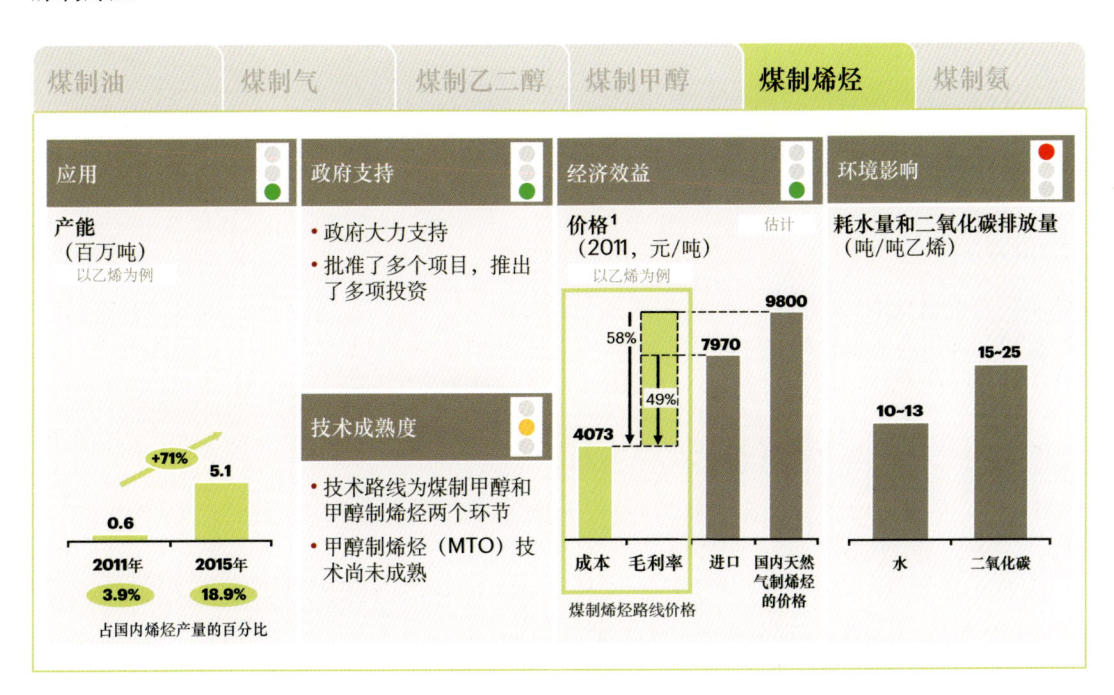

技术成熟度 🟡
- 技术路线为煤制甲醇和甲醇制烯烃两个环节
- 甲醇制烯烃（MTO）技术尚未成熟

经济效益 🟢

价格[1]
（2011，元/吨）   估计
以乙烯为例

成本 4073，58%↓，毛利率 49%
进口 7970
国内天然气制烯烃的价格 9800

煤制烯烃路线价格

环境影响 🔴

耗水量和二氧化碳排放量
（吨/吨乙烯）

水 10-13
二氧化碳 15-25

[1] 基于2011年平均水平，人民币与美元汇率6.38，烯烃进口价为中东天然气路线价格，煤价为内蒙古坑口价335元/吨，煤制烯烃成本基于100万吨规模。
来源：宏源证券，德意志银行，科尔尼。

缓慢，但比较稳定，每年的增长率为1%~2%。出于对食物保障的考虑，中国政府对合成氨的出口征收大量关税，以确保满足国内农业需求。和其他煤化工产业一样，水的大量消耗仍然是水资源缺乏地区煤制氨产业面临的一大挑战（生产1吨氨需要8吨水）（见图7）。

图7
煤制氨

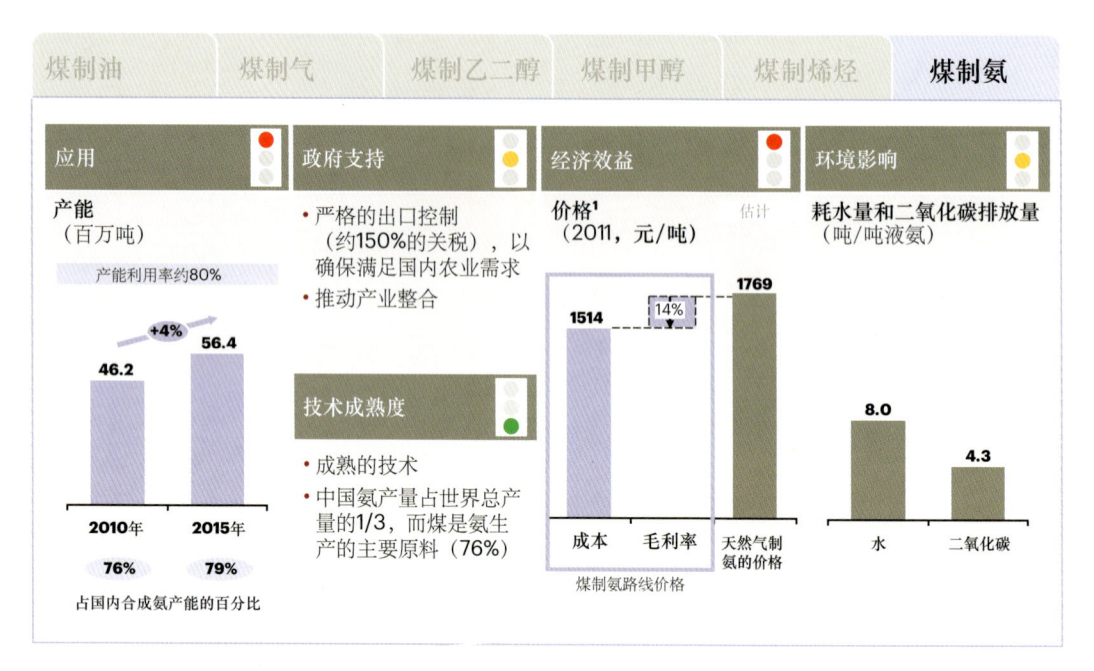

| 煤制油 | 煤制气 | 煤制乙二醇 | 煤制甲醇 | 煤制烯烃 | **煤制氨** |

应用 🔴

产能（百万吨）
产能利用率约80%
2010年：46.2（76%）
2015年：56.4（79%）
+4%
占国内合成氨产能的百分比

政府支持 🟡
- 严格的出口控制（约150%的关税），以确保满足国内农业需求
- 推动产业整合

技术成熟度 🟢
- 成熟的技术
- 中国氨产量占世界总产量的1/3，而煤是氨生产的主要原料（76%）

经济效益 🔴

价格[1]（2011，元/吨）
成本：1514
毛利率：14%
天然气制氨的价格：1769（估计）
煤制氨路线价格

环境影响 🟡

耗水量和二氧化碳排放量（吨/吨液氨）
水：8.0
二氧化碳：4.3

[1] 基于2011年平均水平，人民币与美元汇率6.38，天然气路线价格基于1.4元/立方米天然气，煤价为内蒙古坑口价335元/吨，煤制氨成本基于20万吨规模。
来源：宏源证券，德意志银行，科尔尼。

自2001年起，中国政府大力推动煤制氨产业的进一步发展，但结果却导致行业过于分散、小型工厂的技术水平低下、产能过剩（产能利用率降到80%）等问题。目前，国家政策开始向推动技术升级和产业整合倾斜，鼓励大型煤炭生产企业向下游合成氨产业整合。煤制氨的竞争力一般：在当前稳定的煤炭和天然气的价格形势下，煤制氨的毛利率仅为14%。

作者

Chris McNally，科尔尼全球合伙人，常驻香港办事处
电子邮箱：chris.mcnally@atkearney.com

Bernhard Hartmann博士，科尔尼全球合伙人，常驻迪拜办事处
电子邮箱：hartmann.bernhard@atkearney.com

程鹏博士，前科尔尼董事

Fabio Mercurio，科尔尼顾问，常驻上海办事处
电子邮箱：mercurio.fabio@atkearney.com

金曦博士，前科尔尼顾问

ATKearney

新兴市场购车者的卓越体验

随着新兴市场汽车产业的日趋成熟,客户体验俨然已经脱颖而出成为实现差异化的一大关键要素。

> "付薪水的不是老板，老板只负责管钱。客户才是付薪水的人。"
>
> ——亨利·福特

汽车行业先驱亨利·福特的这句名言对于当今新兴市场上的汽车企业依然适用。随着行业竞争越来越激烈，客户的经验变得更加丰富，要求也更加严苛。若想要在当今市场上取得成功，必须让客户对每一个销售环节都感到满意，否则他们就会去别家买车。

然而，为了使客户满意，汽车制造商及其各自的经销商必须调整他们的关注点。毋庸置疑的是，生产出高品质的汽车向来是非常重要的，但仅有质量并不足以在一个高度竞争的市场中胜出，因为这个市场上已经活跃着众多制造商，这些制造商都有能力生产不同规模和款式的制作精良、极富创意、设计出众的汽车。但是，良好的客户体验可以成为打造持久的客户品牌忠诚度的敲门砖。客户买了第一辆车后不仅会再买第二辆，而且会向家人或朋友大力推荐。总而言之，改善客户体验可以使某个国家的年销量提升高达20%。

我们近期研究了不同新兴市场上的汽车制造商在客户体验环节的表现。我们分别对三大不同的高增长型新兴市场，即巴西、印度和中国的汽车经销商开展有关客户体验的调研。本文将分析本次调研的结果，同时为这三个国家以及其他发展中国家的汽车制造商提供建议，帮助他们实现一流的汽车客户体验。

巴西、印度和中国的汽车客户体验

我们深入研究的三大新兴市场有着众多共同点：首先，这三个市场上都存在着五花八门的汽车品牌、厂家和型号，其中还包括业界顶级汽车生产商的最新产品。例如在中国，客户可以选择46个厂家、94种品牌的500多款汽车。其次，这三个市场上都有着众多经验丰富的客户，在这三个国家中，至少40%的客户都有过购车经历。最后，这三个国家的城乡消费需求差别很大，这就要求汽车制造商为不同的购车群体提供具有针对性的客户体验。

当然，以上三大市场之间也有着一些重要的不同之处。其中一个不同点就是各个国家的主要收入群体的汽车保有量不同，这主要体现在这些市场上的不同的汽车普及率。例如，巴西的中下阶层人群相比中国和印度的同一阶层人群更有可能拥有自己的汽车。在中国和印度，大城市的汽车普及率较高，而农村地区却很低。中国和印度市场起步时成熟度较低，因此在过去十年间销售额飞速增长；其中2007—2010年间，中国的乘用车销售额实现了30%~40%的年增长率。同时，我们还可以从图1的客户体验的卓越阶段中看到，巴西和中国的客户体验优于印度（见图1）。

在本次研究中，我们选择了有经验的客户比例较高的城市，评估了每个新兴市场上六大主要汽车制造商在客户体验环节的表现。我们采用了"神秘购物"调研法，探访了经销商门店并评估其购物体验。

我们预先确定了购车流程的关键步骤，并从六大关键维度对经销商进行评估，这些维度通常是能否达成交易的关键。这六个维度包括：迎宾问候、销售人员对品牌和竞争车辆的了解、试驾体验、价格与激励措施和贷款方案、交易达成与跟进联络以及经销商的店铺环境（见图2）。

调查结果显示，这几个国家的汽车客户体验良好，但水平有所差别，且距离西方国家的标准仍有很大的改进空间。我们将在下文中分别对这三个国家的客户体验现状进行深入分析。

图1
客户体验的卓越阶段

缺乏客户体验意识	建立客户体验意识	鼓励开展客户体验	开展以客户为中心的体验
	印度的汽车制造企业 →	巴西和中国的汽车制造企业 →	北美和欧洲的汽车制造企业 → 客户体验的全球领先企业
• 不提供客户接待服务 • 对车辆特性知之甚少 • 缺乏与其他车辆的对比信息 • 没有在线业务且一般性的促销活动有限	• 经销商仅关注客户提出的需求 • 提供客户接待服务 • 侧重于品牌间的对比 • 提供车辆特性的统一信息 • 对竞争对手的了解有限 • 已在社交媒体上做广告	• 经销商关注产品优势 • 经销商会利用图文和互动工具介绍车辆特性 • 开展以需求为基础的分析 • 在社交媒体上进行推广、订阅、并举办活动等	• 基于以需求为基础的详细分析进行量身定制的产品推介 • 对竞争格局的充分认识 • 图文和互动的车辆特性介绍 • 广泛的对比工具 • 个性化的互动，并积极利用社交媒体获得反馈意见

来源：科尔尼分析。

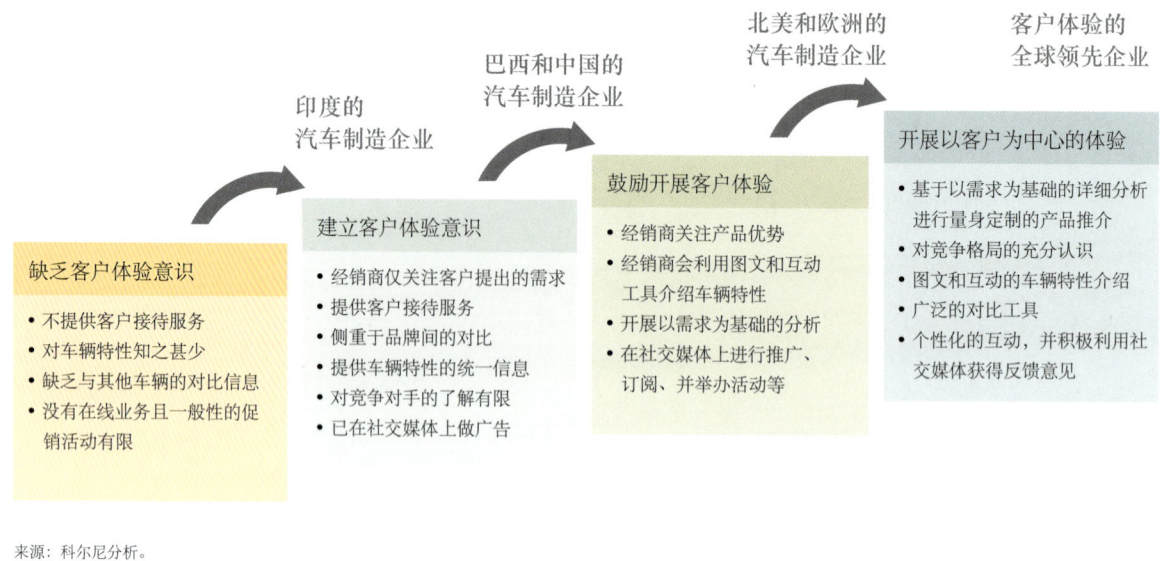

图2
顾客访店在汽车销售流程中发挥关键作用

新车销售 | 售后

形成购买意识 → 开展产品研究 → 访店 → 购买 → 使用 → 更换

客户体验的六大要素
1. 迎宾问候
2. 销售人员对品牌和竞争车辆的了解
3. 试驾体验
4. 价格与激励措施和贷款方案
5. 交易达成与跟进联络

产品展示
6. 经销商的店铺环境

来源：科尔尼分析。

中国

过去十年间，中国已成为全世界最大的汽车市场。然而，中国汽车行业的客户体验表现出极大的地区差异性：相较内陆省份，一线大城市和沿海地区的表现更出色。总体来看，客户体验落后于西方市场。

中国的汽车经销商在对品牌及车辆的了解方面得分很高，而且还有着极好的经销商门店环境，这是该国汽车市场的激烈竞争和有经验的客户更多造成的，而且这种现象在一些主要城市尤为明显（见图3）。本次调研中表现最好的经销商门店大多是在中国汽车市场的黄金时期2006年之后几年开张的。开设这些经销商门店的目的是更好地展示样车，以更好地达成品牌的销售目标并提升售后服务。

中国的汽车经销商在众多领域仍有改进的空间，包括及时热情地问候客户、详细解释不同车型的特性、持续的提供试驾机会、更清楚地解释购车成本及分析所有权利益，包括价格和购车贷款方案以及客户跟进与联络。

图3
中国、印度和巴西的汽车客户体验调研结果对比

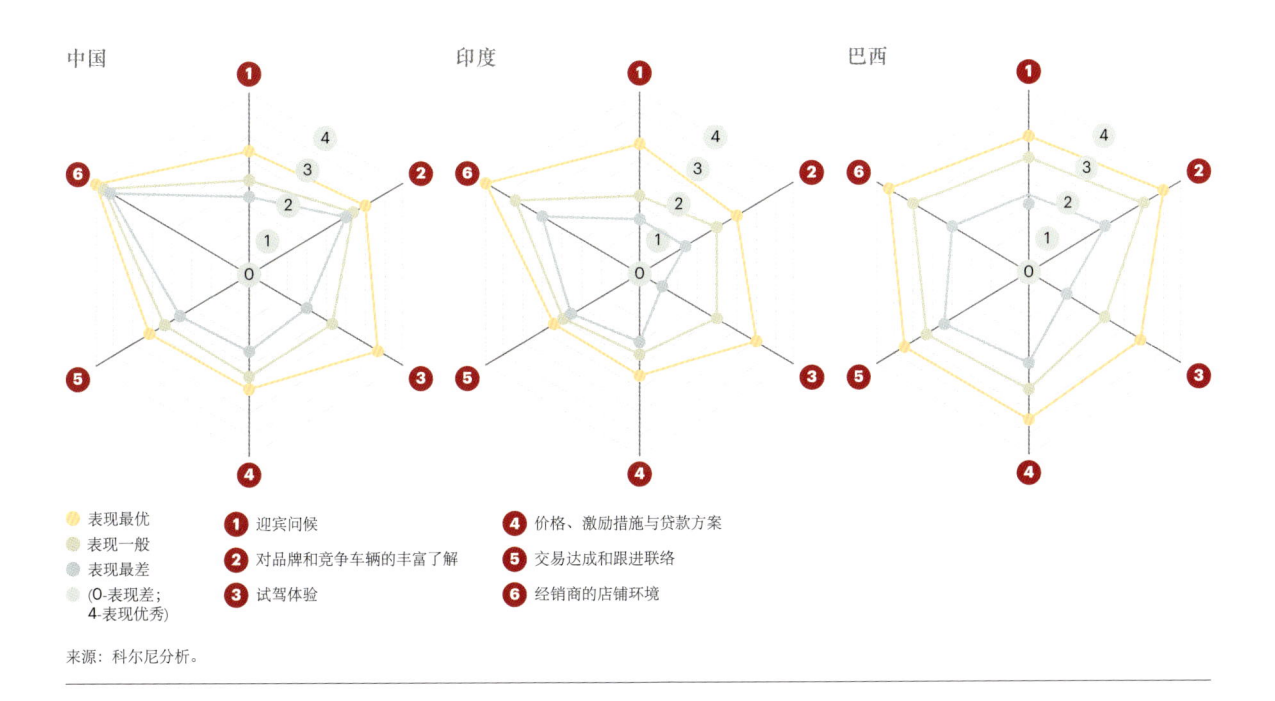

● 表现最优	① 迎宾问候 ④ 价格、激励措施与贷款方案
● 表现一般	② 对品牌和竞争车辆的丰富了解 ⑤ 交易达成和跟进联络
● 表现最差	③ 试驾体验 ⑥ 经销商的店铺环境
(0-表现差;4-表现优秀)	

来源：科尔尼分析。

印度

如图3所示，印度的经销门店布局极具吸引力，环境优越，但在其他方面得分较低。大多数经销商仅仅简单地评估买家需求，只有在客户要求时才会做产品介绍，而不会通过统一的、系统性的方法来介绍样车，从而吸引客户的注意。此外，印度的经销商对竞争产品也了解甚少。

在过去，印度人买车前一般都需要很长的时间才能决定要不要买，但近年来这一现象已发生了巨大变化。今天，有一半的印度客户仅在购车前两个月才开始关注，近**40%**的客户在买车前一个月才会第一次去经销商门店。因此，汽车制造商影响购车决定的时间变短了，经销商与购车者之间的互动显得越发重要，尤其是在这样一个众多家庭成员通常一起讨论购车决策的国家。然而印度的经销商正努力培训销售人员、遵循基本销售流程、建设统一门店，以及最重要的一点是销售人员要充满热情，这是提供积极的客户体验所必不可少的。

为了改善客户转化率和向上销售的模式或方案，印度的经销商可以开展高层次的需求评估来确定客户的真实需求并相应的给予特殊优惠、了解竞争定位、创造卓越的试驾体验；与客户建立稳固的情感纽带；帮助客户了解购车的总拥有成本；提供替代的购车贷款方案；详细解释售后支持，以及制定更加有效的交易达成与联络跟进流程。

巴西

巴西的汽车市场在过去二十年间增长显著，客户的偏好也在不断变化。越来越多的客户选择小引擎的小型车，这使得产品组合更加平衡，也给大牌汽车的经销商带来了更具挑战的大环境。经销商将不得不重新调整展厅，展示各种款式类型的车辆——小型车、大型车以及高档车。换言之，汽车制造商在同一经销店的服务需要面向不同的消费群体。

为了应对这些挑战，巴西众多经销商正在加大投资力度以便更好地服务于大中型购车者，改进销售和售后流程，更新店面设施。然而，并非所有制造商都在朝着这一方向努力。小型车市场的增长衍生出了大量新的经销门店网络，它们关注的是价格敏感的客户群。为了争取到高端车买家，经销商必须调整展厅布局和样车陈列方式，从而更好地将新车型介绍给可能的购车者。

巴西主要的改进机会包括统一经销店设施和销售及售后服务流程；细分客户体验，为特定的消费群体提供更有针对性的服务；并加强试驾体验（参阅：试驾表现）。

打造一流的客户体验

尽管每个市场都是独特的，但汽车制造商在每个市场的客户体验方面却都有着很大的提升空间。然而，仅仅关注产品是不够的，改善客户体验需要同时在客户体验的各个维度下功夫。

跨国汽车制造商在制定经销商销售流程时必须满足本土客户需求、符合当地文化习俗，同时又要坚持品牌标准，此时面临的最大挑战是找到恰当的"本土化"尺度。比如说，中国的经销商或许需要为时间不充裕的客户灵活调整试驾时间。另一个常见的挑战是要在经销门店的网络扩张与品牌体验的一致性之间达成平衡，跨国汽车制造商必须与本土加盟商合作以实现这些目标。

对于本土汽车制造商来说，明确定义经销门店的销售与售后流程及标准至关重要，尤其应注意迎宾问候、交易达成和跟进联络等需要软技能的环节，从而方能吸引更多有经验的、对价格不太敏感的买家。

换句话说，对于所有的汽车制造商来说，改善客户体验需要采用一种全局性的方法，涵盖客户体验框架内的多个因素。在汽车行业内及其他竞争激烈，且需要与客户紧密互动的行业，参考最佳实践都有助于改善客户体验，雷克萨斯舒适的、顾客至上的、服务驱动型的经销门店环境以及星巴克和苹果门店独特的客户体验模式都可供借鉴。

具体来讲，几个领域的最佳实践与新兴市场的汽车制造商密切相关（见图4）。

图4
客户体验框架

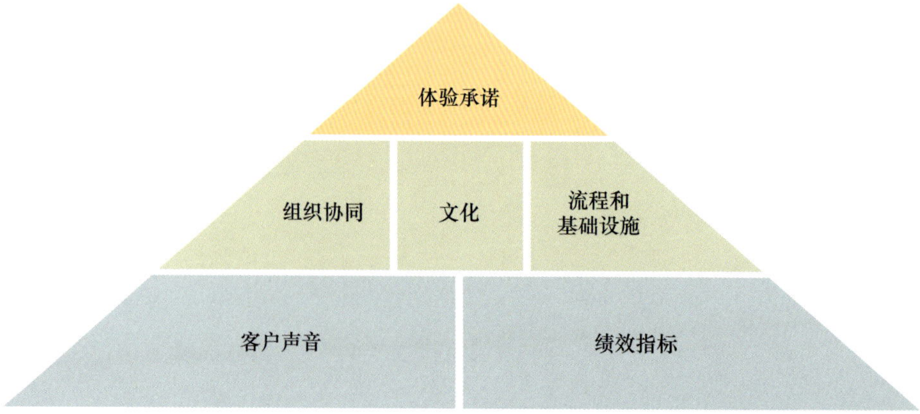

来源：科尔尼分析。

体验承诺。客户体验表现卓越的企业不仅仅会评估自家的客户体验表现，还会与竞争对手进行对比。这些领先会确保他们将客户的承诺明确地传达至公司上下各个层级，并以此将客户服务作为企业DNA的组成部分。例如，星巴克通过频繁地讨论和制订《绿围裙》指导手册向员工传达"体验承诺"的理念。

试驾表现

我们在研究中发现有一个领域始终是薄弱环节：试驾。这一领域的差异是六个维度中最大的，表现最好的经销商提供即时试驾服务，并且在整个过程中会与客户进行有效的交流，表现最差的经销商根本不提供试驾服务。

试驾服务是经销商最难提供的服务之一，但也是客户体验中最重要的环节之一。相比任何其他环节，试驾能够最好地建立客户与车辆之间强大的情感纽带。想要做好这一环节，需要合适的流程设计、良好的车辆可用性管理、了解基于当地文化的消费者行为与习惯等。

对于所有的汽车制造商来说，改善客户体验需要采用一种全局性的方法，涵盖客户体验框架内的多个因素。

组织协同。一线员工需要一定的授权方能更好地适应本土市场。恰当地下放决策权能确保以客户体验为中心来构建组织结构。与此同时，明确的指导和培训则可以确保更广泛的组织利益依旧能够得到满足。西南航空就是组织协同的一个很好的案例。在西南航空，通常不直接面向客户的员工也会被"分配"客户名额，他们也会在客户体验环节发挥一定的作用。与之类似的是，星巴克的高管必须接受培训并定期担任直接为客户服务的"咖啡师"，他们通过这种方式来更好地了解产品和顾客，并将顾客体验作为战略重点。

文化。雇用具有很强的客户导向型技能的员工并开展持续的培训将有助于营造一种能够支持卓越的客户体验的文化。星巴克采用了双管齐下的培训方法，除了日常工作所需的"硬技能"以外，还注重培训与客户打交道所需的"软技能"——迎宾问候、进行眼神交流以及建立关系。同样，新加坡航空为所有机组成员提供如何在飞行途中管理客户体验的培训。

流程和基础设施。系统、流程和基础设施是确保以上几方面工作平稳开展的基础。在客户体验方面表现卓越的企业都在细节上下了很大功夫。新加坡航空的乘务人员用两种颜色不同的镊子分发和回收湿毛巾。雷克萨斯在一些地区提供免费的平板拖车接送服务（用于车辆的维修和保养），而且在很多经销门店里都有平板电视、咖啡吧甚至高尔夫球推杆练习草坪。

客户声音。客户体验方面表现领先的企业总会通过调研来倾听"客户的声音"，这提供了源源不断的反馈，有助于改善运营流程，提高客户忠诚度。例如，丽思卡尔顿酒店每月都会在所有分店开展30次以上的访谈，收集有深度的定量和定性数据。

绩效指标。绩效评估仅仅是一部分，在客户体验方面表现卓越的企业将绩效指标融入业务流程和企业记分卡中，组织上下协同达成共同的目标。联邦快递和得州仪器通过结合内外部观点，将客户体验指标纳入运营环节。这些指标不断投入试验、评估，并与其他关键业务衡量指标保持"平衡"。

保持领先地位

巴西、印度和中国市场的汽车客户体验正在不断改进，但仍有很大的提升空间。大部分经销门店已具备基础的流程和服务技能，不过要想真正体现差异化优势，汽车生产企业需要进一步加强购买体验，提升试驾、完善客户信息收集并识别需求、和竞争对比等多个维度的表现，这些看似很小的措施将为满意的客户体验发挥重要作用。

若要想实现以上目标，汽车制造商应牢记亨利·福特提出的有关客户埋单的妙语，并为公司设定清晰的愿景并完善相应的流程，从而使一切变为现实。

作者

Shiv Shivaraman,科尔尼全球合伙人,常驻孟买办事处
电子邮箱: shiv.shivaraman@atkearney.com

戴加辉,科尔尼全球合伙人,常驻上海办事处
电子邮箱: stephen.dyer@atkearney.com

Dario Gaspar,科尔尼全球合伙人,常驻圣保罗办事处
电子邮箱: dario.gaspar@atkearney.com

周伟权,科尔尼董事,常驻上海办事处
电子邮箱: andreas.graef@atkearney.com

Vinod Kumar,科尔尼董事,常驻孟买办事处
电子邮箱: vinod.kumar@atkearney.com

Fabio Fera,科尔尼顾问,常驻圣保罗办事处
电子邮箱: fabio.fera@atkearney.com

作者在此衷心感谢曹越和Sharon Serrao为本文作出的宝贵贡献。

ATKearney

把握酒店业前沿市场的竞争优势

酒店行业剧变在即,亚洲和拉丁美洲市场即将成为开发重点。在这两个地区,数十亿新兴中产阶级旅游者(无论是商务旅客或休闲旅客)带来了大量的酒店需求。

酒店行业的剧变即将来临。西方国家市场仍然在推动全球酒店业发展，但新兴的亚洲和拉美国家市场引领行业指日可待。过去三年中，金砖四国¹的酒店客房数量几乎增加了20%，相比而言美国仅增加0.6%。这是主要需求转向发展中国家的结果，同时也是中产阶级消费者激增的结果——我们认为这种情况将重塑行业格局。我们预测2025年之前将出现20亿名新的中产阶级消费者，大部分位于亚洲，其出行目的是出差或者休闲旅游（见图1）。他们将构成一个庞大的新客户群，特别是对于经济型和中端连锁酒店而言。

图1
预计全球中产阶级人口增幅将超过20亿人

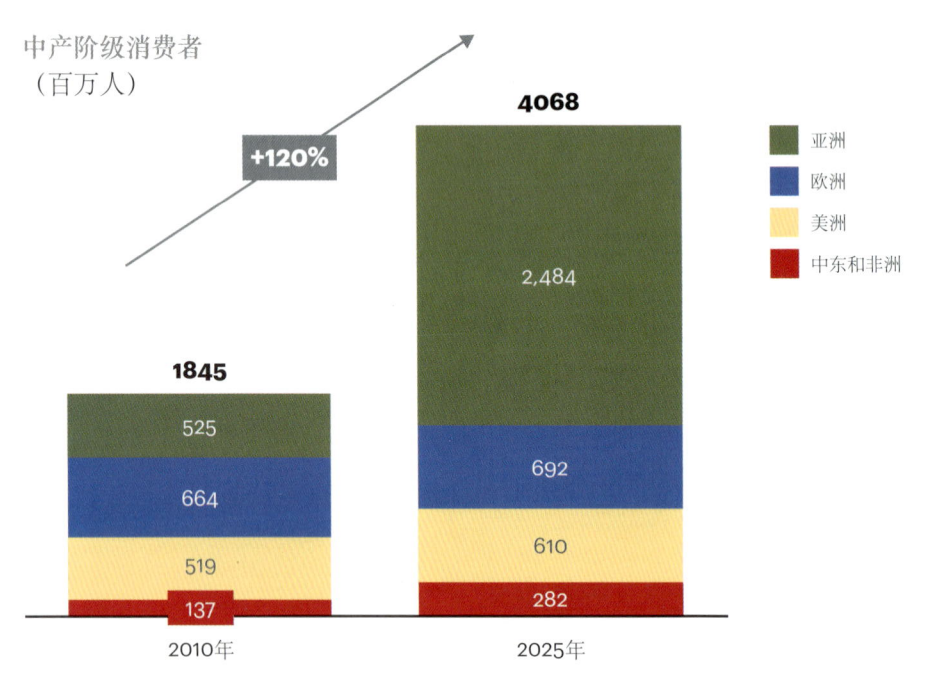

中产阶级消费者
（百万人）

	2010年	2025年
亚洲	525	2,484
欧洲	664	692
美洲	519	610
中东和非洲	137	282
合计	1845	4068

+120%

来源：经合组织、科尔尼分析。

大型连锁酒店非常明确这一趋势，实际上他们已经宣布了瞄准新兴国家市场的宏远发展计划。然而除了洲际酒店集团之外（IHG），其他酒店设计的计划都提倡修建高端物业——基本忽略了中端和经济型酒店客户群的强大发展潜力。中端和经济酒店物业虽然不如高端物业豪华，但具有赢利能力（在本土酒店业强劲的地区经营时），而且长期看来其周期波动性低得多。

因此，大型连锁酒店面临着重大的风险：即强有力的本地竞争对手将从高利润的中端客户市场抢走一大部分份额。这一情况正在中国上演，诸如7天连锁和锦江之类的本土连锁酒店已经抢在国际连锁酒店之前占据了稳固的地位。在其他新兴国家比如印度和印尼，大型连锁酒店仍有机会开发经济型和中端酒店。

三管齐下的增长战略

大型连锁酒店可以采用三方面的增长战略抓住机遇：选择正确的国家和时机，设法在当地实现规模效应，并调整国际品牌和概念以适应本地客户。

以下我们详细考察各个战略。

1. 选择正确的国家和时机

连锁酒店习惯上是根据机遇制定决策的：搜寻最佳建设地点并选择最佳融资伙伴以获得项目支持。这一方法虽然在以前曾经非常有效，但对于目前的行业而言并不理想。更准确地说，需要采取新战略，确保每个决策所聚焦的机遇最具有商业意义而且能产生最大投资回报。

出于上述考虑，我们制定了酒店业指数，列出了最适合酒店行业发展的国家（参阅：关于科尔尼酒店业指数）。一个国家在市场吸引力、风险、饱和度和时间压力方面的各项指标的得分越高，其酒店开发的吸引力就越大。图2列出了2013年指数中排名前20位的国家。

毫无疑问，中国、印度、巴西和俄罗斯都位列前十位。它们的酒店市场开发潜力是毋庸置疑的，特别

图2
在酒店业指数排名中位列前20的国家

分值：0~100

排名	国家	全球得分	市场吸引力	国家风险	市场饱和度	时间压力
1	美国	78	100	87	73	23
2	中国	78	79	68	98	59
3	新加坡	73	55	93	76	74
4	德国	73	76	97	80	12
5	英国	70	76	92	80	0
6	印度	68	54	57	100	64
7	巴西	68	51	69	91	65
8	俄罗斯	67	48	53	96	83
9	印度尼西亚	65	61	54	92	49
10	瑞士	65	57	99	64	27
11	荷兰	64	52	94	86	5
12	丹麦	64	47	98	79	20
13	加拿大	63	56	92	75	12
14	智利	63	29	93	92	42
15	阿联酋	62	40	77	81	57
16	法国	62	69	94	55	4
17	澳大利亚	62	53	94	72	12
18	墨西哥	61	67	60	89	2
19	波兰	61	24	78	88	73
20	挪威	60	44	99	65	23

来源：科尔尼分析。

是经济型酒店和中端酒店市场。成功关键是在这些大国中选择正确的地点，并充分了解相应的政治和监管法规，从而避免官僚的烦琐程序拖延项目并蚕食赢利能力。例如在印度，房屋所有权和土地所有权相关的纠纷经常会阻碍新建项目。在中国，正确选择地区和城市进行开发攸关成败（见图3）。

图3
在大国按地区开展分析以便做出良好的决策

中国各地区的吸引力（以一家大型连锁酒店为例进行分析）

排名	省份	人口（1百万）	居住人口超过百万的城市数量	市场份额（与前五个竞争对手相比）
1	广东	96.4	4	7.6%
2	江苏	77.3	6	6.1%
3	山东	94.7	3	5.8%
4	上海	19.2	不适用	4.8%
5	浙江	51.8	3	3.4%
6	天津	12.3	不适用	5.3%
7	北京	17.6	不适用	5.2%
8	福建	36.3	1	1.5%
9	辽宁	43.2	5	7.5%
10	河南	94.9	3	4.0%

来源：国家统计局、酒店网站、国际货币基金组织；World Gazeteer，科尔尼分析。

关于科尔尼酒店业指数

科尔尼全球酒店业发展指数每年发布一次，按照0~100的分值列出50个国家的排名，排名越高，进入该国市场的紧迫性就越高。这些国家选自一个包含200个国家的数据库。

我们分析了下述4个可变因素，从而得出了酒店业指数。

市场吸引力（25%）

经营环境的准备度（30%）：根据综合指标得出。这些指标从施工监管、基础设施质量、教育水平等方面评估酒店经营环境的质量。

评分：0分表示经营环境差；100分表明经营环境结构化且已成熟。

人口（25%）：人口越多（特别是城市人口），得分越高。

游客人数（25%）：按绝对人数及其占总人口比例计算入境游客人数。得分：0分表示无入境游客；100分表示游客人数占总人口的比例高。

失业率（20%）：得分：0分表示失业率高于平均水平；100分表示失业率低于平均水平。

国家风险（25%）

国家风险（80%）：这一指标反映政策风险、经济绩效、债务指标、债务违约和债务重新安排、信用等级、银行融资途径。评分越高，失败的风险就越低。

业务风险（20%）：恐怖主义、犯罪、暴力和腐败所产生的业务成本。得分越高，经营风险越低。

市场饱和度（25%）

居民人均酒店数（50%）：得分越高，则表明相对于人口数量而言的酒店密度越低。

运载能力（50%）：得分越高表明运载入境游客的能力更大。

时间压力（25%）

时间因素根据2006—2011年数据计算得出，衡量标准是基于该国一般经济发展（GDP的年均复合增长率）情况加权计算得出的旅游业收入年均复合增长率，以及年均复合增长率绝对值（2006—2011）。100分表明旅游业快速发展，因此代表短期机遇。

数据和分析都来自联合国人口署数据库、2010—2011年世界经济论坛《全球竞争力报告》、国家数据、《欧洲货币》杂志和世界银行报告以及经济学人智库数据库。

一些新兴市场在雷达图上并不如金砖四国明显，但也拥有同样的机遇。例如新加坡面积虽小但是潜力巨大，在我们的名单中位列第三。印尼位列第九——人口数量2.5亿人，政治风险一般，酒店客房供给不足——那么对于连锁酒店而言问题可能就在于开发速度。我们认为，目光长远的连锁酒店将在印尼这个国家建立广泛的网络覆盖，以便充分利用其今后的发展潜力。

一些传统的成熟市场——比如欧洲和美国——仍然拥有发展空间而且仍然是具有吸引力的市场。尤其是欧洲经济型酒店市场表现出强大潜力，8个欧洲国家位列前20，但连锁酒店仅占欧洲酒店房间存量的25%。例如德国排名第四，该国拥有多个经济中心以及卓越的基础设施，非常适合建立强大的经济型酒店和中端酒店网络。虽然一些领先酒店在德国已经拥有强大势力，但经过深思熟虑的开发项目仍然可以发掘发展空间。

就经济型酒店和中端酒店而言，注重本土客户口味和文化将对成功至关重要。

另外，该指数的34个国家中，南非位列第30，是排名最高的非洲国家，紧随其后的是排名中仅有的另一个非洲国家埃及，位列第31。初步看来，认为非洲市场具有一定的开发潜力似乎太早。非洲的长期人口特征的确是较有前景的，预计到2100年，地球上1/3的人口是非洲人。但同时，全世界49个最落后国家中，有33个在非洲。目前连锁酒店的开发空间是在关键城市建立吸引商务旅客的酒店网络——包括高端、中端和经济型酒店。针对非洲28个城市进行的一项酒店开发评估报告中，我们发现一半（14个）的城市具有酒店开发吸引力，其中7个城市甚至表现出了巨大的需求差距，且预计将持续到2018年（见图4）。

图4
7个非洲城市的酒店业潜力最大

绿色区域
7个城市

2018年之前，这些城市缺少一家或者多家商务酒店去吸纳增多的商务客流

城市	客房需求缺口	指标*
内罗毕	1381	118%
拉各斯	1043	116%
阿布贾	853	120%
哈科特港	657	153%
亚的斯亚贝巴	553	112%
阿克拉	150	103%
马普托	18	101%

有修建2~9家酒店的空间

黄色区域
7个城市

到2018年，这些城市的酒店接近饱和（满足70%以上的需求）但特定类型的需求仍然存在

城市	客房需求缺口	指标*
卡萨布兰卡	2367	73%
罗安达	1005	78%
亚历山大港	263	94%
利伯维尔	134	92%
马拉博	93	87%
卢萨卡	58	96%
朱巴	25	95%

有修建1~2家酒店的空间

红色区域
14个城市

这些城市已经有能力接纳增多的商务客流，但特定类型的需求仍然存在

城市	客房需求缺口	指标*
开罗	10140	63%
突尼斯	7529	11%
丹吉尔	4692	26%
蒙巴萨	2972	25%
的黎波里	2145	57%
达累斯萨拉姆	1915	45%
坎帕拉	1804	40%
喀土穆	1798	37%
阿尔及尔	1682	66%
达喀尔	1572	55%
金沙萨	1227	49%
杜阿拉	1167	48%
阿比让	1013	63%
库马西	497	17%

* 该指标是2018年的预测入住率，考虑到了目前在准备修建的新接纳能力。入住率大于70%，表明有潜力进一步增加酒店容纳能力；大于100%表明需求将超过预测的房间总容纳能力。
来源：Sagaci Research；科尔尼分析。

2. 设法在当地实现规模效应

不言而喻，明智的酒店开发战略的重点在于筛选地点、获取战略性品牌网络产生的所有收入效益，同时避免因维护单独的物业所产生的额外成本。对于经济型和中端酒店而言尤其如此，因为对它们而言，强劲的地方网络能够产生明显的市场知名度优势，而且当该品牌众所周知的时候，会产生更高的入住率和房价。我们称为良性循环——制定强有力的价值主张，凭借经济适用的建筑风格和精简的员工配置达到覆盖全国的突破性规模，并产生更高的知名度和客户忠诚度。

在幅员辽阔的国家比如中国、印度和巴西，需要抓住地方或者区域的规模效应。为了定义并优选区域发展重点，我们建议通过详细分析，确定目标地区的吸引力和取得突破性规模的可能性，并最终取得领先地位。

3. 调整国际品牌和概念以适应本地客户

最强大的国际品牌和概念能反映出其产品的精髓。但就经济型和中端酒店而言，本土品味和文化也是不容忽视的，而且实际上对在当地获得成功非常重要。

这一战略一方面意味着要开发全球性的概念，保证完善的设计、质量和客户体验标准，同时强调通过规模经济提高成本效率。另一方面意味着要做到足够灵活，让全球概念完全适应本地环境，必要时做出一些具体调整。比如中东的酒店房间通常比欧洲的更加宽敞。中国的隔热要求并不如西方国家严格。还有在摩洛哥，甚至经济性酒店都要设有游泳池。

调整品牌标准以满足本土需求的这一话题常常会激起激烈的争议，但这对于成功的酒店开发非常重要。而且很重要的一点是，在实现本地化的过程中需要开展密切的监管，确保品牌标准的调整最符合公司的经济利益。

地点、针对性和网络

对于试图立足于新兴市场的连锁酒店而言，重点是要抓住新兴市场的诱人机遇以便及时开发市场。但抓住诱人机遇还不够。另外还要考虑某个特定市场的情况和未来潜力，找到最合适的战略，以便培养能力，取得突破性规模并占据市场领先地位。

美国酒店业大亨康拉德·希尔顿（Conrad Hilton）曾有一个很著名的言论，即酒店业取得成功需要三大因素："地点、地点、地点。"我们可以加上针对性和网络这两个因素，它们有助于酒店业在前沿市场中创造持续的竞争优势。

作者

Thomas Sutter，科尔尼全球合伙人，常驻巴黎办公室
电子邮箱：thomas.sutter@atkearney.com

Eric Sauvage，科尔尼全球合伙人，常驻巴黎办公室
电子邮箱：eric.sauvage@atkearney.com

Charles-Etienne Bost，科尔尼董事，常驻巴黎办公室
电子邮箱：charles-etienne.bost@atkearney.com

Olivier Laroche，科尔尼董事，常驻巴黎办公室
电子邮箱：olivier.laroche@atkearney.com

ATKearney

改革大件宅配服务，实现业务突破

亚马逊凭借快速、经济和可靠的宅配服务，提高了宅配行业标准。但电器、家具和电子产品等大件物品的宅配却没有跟上这一标准。现在不正是为各类产品提供高标准配送服务的时候吗？

家电、家具和电子产品等大件物品的宅配市场呈现增长势态，但结构性的障碍阻碍了零售商和宅配服务供应商的增长机遇。该市场非常零散而且过于复杂。零售商一般都不确定是否需要凭借宅配实现差异化，而且由于没有现成的突破性宅配供应方案，他们对于是否改变当前业务模式犹豫不决。宅配供应商既不具备实现突破性方案所要求的规模，也不具备所要求的密度（每条路线上的送货次数），而且常常资金紧张，难以从收入中拨出资金投资于能力建设。

全国性的宅配服务集成商能够解决这一问题，同时节省一笔可观的资金并改善客户服务。这一"突破性方案"的关键在于零售商、宅配服务供应商和投资者之间的密切合作。

行业陷入僵局

大件宅配市场增长潜力巨大，目前美国这一市场规模为80亿美元（其中最后一英里配送占60%，长途运输占40%），该市场将保持6%的年均复合增长率，到2015年市场规模达到10亿美元。

对大件物品零售商和宅配服务供应商而言，人口特征和市场趋势正在从根本上改变宅配服务市场。（参阅：宅配行业的四大趋势）。

但是只有采用更低的成本和更佳的服务满足了消费者预期，才能抓住这一增长机遇。目前的宅配服务行业并不具备条件满足这一预期。实际上，我们最近开展了大型零售商宅配服务对标分析项目，从中我们发现即使综合业绩最优的零售商目前在成本、客户服务和订货交付时间等关键环节也存在不足。（见图1）。

图1
目前宅配行业不能满足客户预期

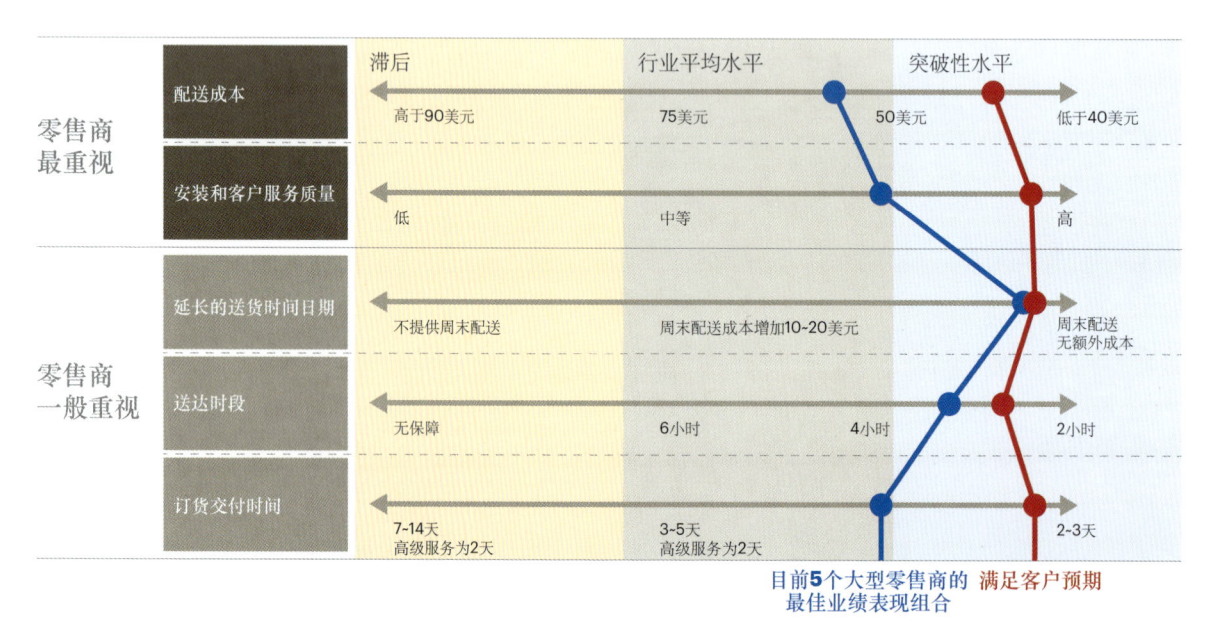

		滞后	行业平均水平		突破性水平
零售商最重视	配送成本	高于90美元	75美元	50美元	低于40美元
	安装和客户服务质量	低	中等		高
零售商一般重视	延长的送货时间日期	不提供周末配送	周末配送成本增加10-20美元		周末配送无额外成本
	送达时段	无保障	6小时	4小时	2小时
	订货交付时间	7-14天 高级服务为2天	3-5天 高级服务为2天		2-3天

目前**5**个大型零售商的最佳业绩表现组合　　满足客户预期

来源：科尔尼分析。

若要理解零售商为何在这些方面有所欠缺，首先应了解大件物品零售企业宅配服务的上游战略和最后一英里网络战略（见图2）。为了解这一复杂领域，我们按照假设的顺序进行分析。

图2
零售商采取诸多复杂的宅配战略，然而一体化战略是最理想的零售企业宅配战略

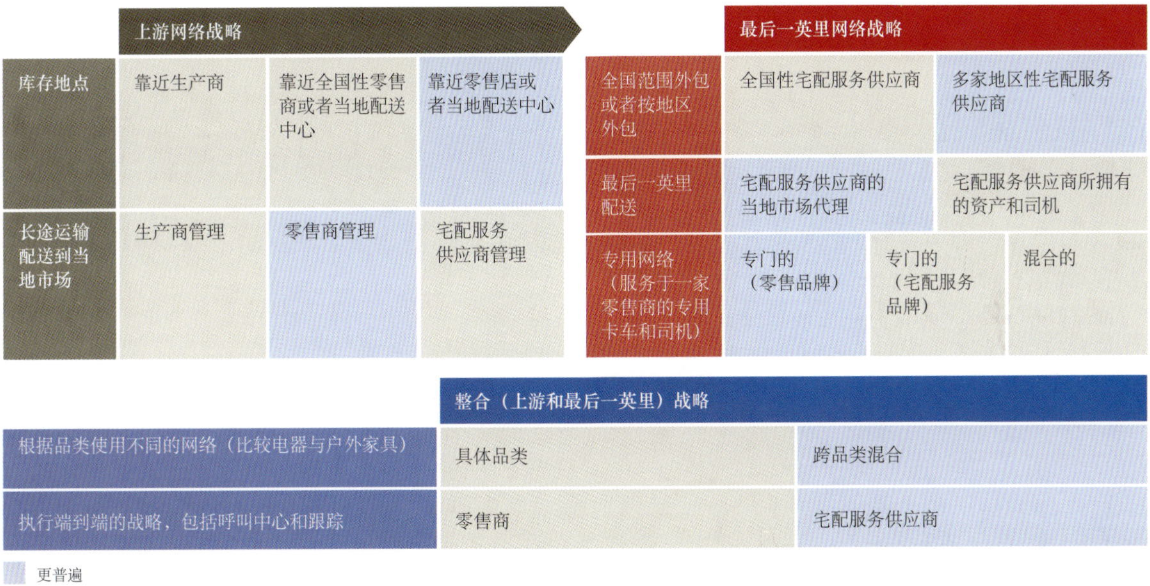

	上游网络战略				最后一英里网络战略		
库存地点	靠近生产商	靠近全国性零售商或者当地配送中心	靠近零售店或者当地配送中心		全国范围外包或者按地区外包	全国性宅配服务供应商	多家地区性宅配服务供应商
					最后一英里配送	宅配服务供应商的当地市场代理	宅配服务供应商所拥有的资产和司机
长途运输配送到当地市场	生产商管理	零售商管理	宅配服务供应商管理		专用网络（服务于一家零售商的专用卡车和司机）	专门的（零售品牌）	专门的（宅配服务品牌）	混合的

	整合（上游和最后一英里）战略		
根据品类使用不同的网络（比较电器与户外家具）	具体品类		跨品类混合
执行端到端的战略，包括呼叫中心和跟踪	零售商		宅配服务供应商

更普遍

来源：科尔尼分析。

宅配行业的四大趋势

四大趋势正在推动大件宅配市场增长并提高消费者对大件宅配的期望。

第一个趋势我们称为电子商务承诺。随着电子商务的发展，行业领先企业比如亚马逊，以及包裹配送供应商比如FedEx和UPS，都在努力推进订单的履行。新的标准包括免费送达、2天送达和状态跟踪，同时即日达货运方案也在不断推广。这些创新决定了消费者对所有宅配服务的预期，不论是什么样的产品。消费者并不在乎市场动态以及大件物品相对于小包裹配送的经济性。他们要求的是——而且将越来越需要——较低的配送价格、准确的送达时段以及卓越的服务。

第二个趋势是年龄组两极化。美国人口同时朝着老年化和年轻化发展。到2025年，1/4的美国人将小于25岁（千禧世代），同时另外1/4在60岁以上（婴儿潮）。虽然两个年龄组有种种差异，但他们都偏爱宅配服务。婴儿潮一代体力逐渐衰弱，会选择较具有价格竞争力的配送服务、免费的旧物搬离服务、交货点的信息服务和安装服务等。千禧世代则日程繁忙，需要便捷性、灵活性和速度。快速送达、2小时送达时段和灵活的晚间配送方案将更有价值。

第三个趋势是城市化。到2020年，约90%的美国人将住在市中心区，高于目前的80%。这就意味着将有2000万名消费者将从郊区迁移到城市——从大型商店转移到空间狭小的零售店。零售商以往会陈列完整系列的产品，现在必须想方设法进行调整，设定一个以产品陈列室为主的都市门店，并结合快速的仓库宅配服务。

最后一个趋势是，消费者在购买更多的商品和小型车辆。大型消费品变得更大。例如2004年采购的电视平均为27英寸，2011年为37英寸，2015年可能达到60英寸。而且人们购买的商品越来越多。20世纪90年代平均每家有2台电视，目前平均有3台。随着电子商务和宅配服务给消费者提供了更频繁地采购大件物品的途径，而且不存在将物品搬运回家的物流障碍，这一趋势将持续发展。实际上，随着美国人开始购买小型车辆，物流障碍将越加严重。从2009—2011年，小型车辆的年销售量比卡车和SUV高出5%。综合考虑，大件物品和小型汽车将增加宅配需求。

某客户网上订购了一台60英寸等离子电视（当地实体店没有库存）。这一订单被分配到了离客户最近的存货所在地，可能是上游生产商的仓库、零售商的全国配送中心或者当地配送中心。随后这台电视由生产商、零售商或者长途运输物流公司所运营的卡车经过长途运输后送到当地的配送中心。在当地配送中心，通常由与零售商签订合同的宅配服务供应商运营并安排最后一英里配送。这家宅配服务供应商可能是这家零售商的全国性或者区域性的最后一英里合作伙伴。尽管很多宅配服务供应商自己运营最后一英里卡车配送，但也有很多供应商将业务分包给了当地配送服务代理。最后配送到客户住宅的卡车可能专门服务于某零售商（目前最常见，卡车的所有订单来自一家零售商），专门服务于某宅配服务品牌（较特殊，不常见），或者混合配送（又一种特殊情况，卡车上的产品是多家零售商的混合产品）。品类的合并进一步增加了复杂性：安排的配送卡车可能仅运载电视或者相关的消费电子品（具体品类），或者能够配送其他品类，比如家具（跨品类）。

如果零售商、宅配服务供应商和投资者协同工作，就能创建一个全国性的、单一品牌的宅配服务集成商网络。

这一复杂的网络不可避免地造成了业内两大结构性差距（见图3）。

图3
宅配的运营模式过于复杂

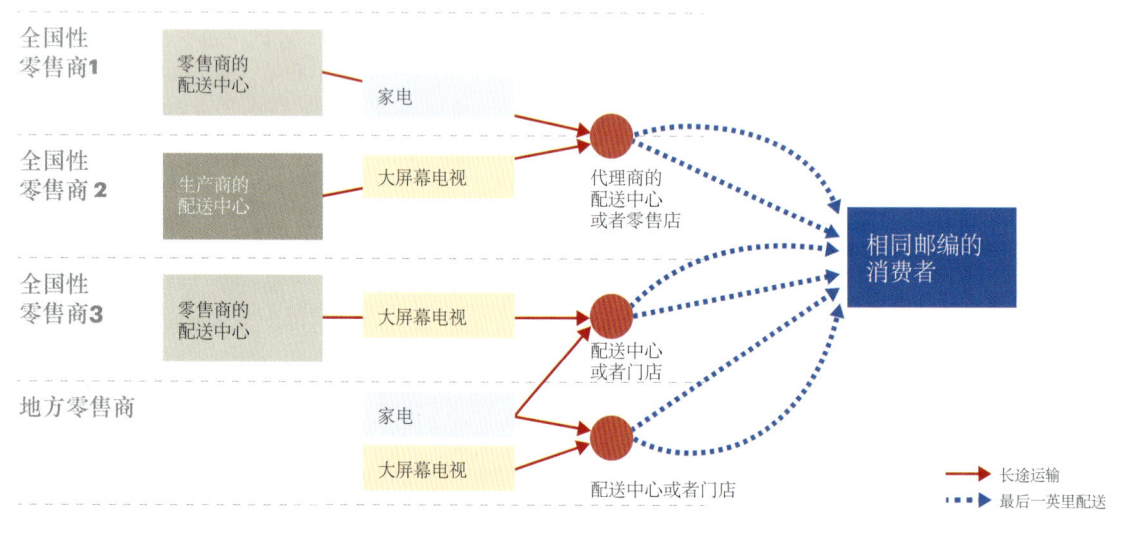

来源：科尔尼分析。

零散性和复杂性。 宅配服务市场相当零散。大部分大型零售商拥有一套专属的配送网络，内部或者外部人员按照地区或者产品类型管理此网络。零售商的外部宅配服务合作伙伴管理当地物流代理商网络，这些代理商专门服务于一个零售商。由于实际的配送可能是专门服务于单一零售商或者品类，所以即便顾客的邮编相同，也要按照零售商或者品类分次配送。这就制约了实时的端到端的产品能见度，使协调工作和跨区活动变得更复杂，而且引发了配送延迟、产品损毁和客户服务水平不佳的现象的发生。

规模小、密度低。 由于零售商采用专属运营模式，而且零售商以及产品品类的混合程度有限，最后一英里配送不能达到最大的密度或者规模。这就使得配送成本增加，灵活性受限，包括准确安排送达时段的能力也受到影响。

这种零散的、规模较小的宅配服务模式在20世纪90年代较有成效，那时候宅配服务的订货交付时间以周为单位计算，而且配送质量和可靠性并不重要，因为零售商主要凭借SKU的选择面以及产品价格进行竞争。但这一模式远远难以满足目前的电子商务和全渠道零售标准。

零售商面临的挑战

虽然零售商和宅配服务公司发现了这些结构性的问题，而且承认需要做出改变，但各方都面临特有的挑战（见图4）。这些结构性的不利因素进一步增强并且相互加剧，进而产生了一个僵局，几乎导致配送流程停滞。

图4
零售商和宅配服务供应商面临的挑战

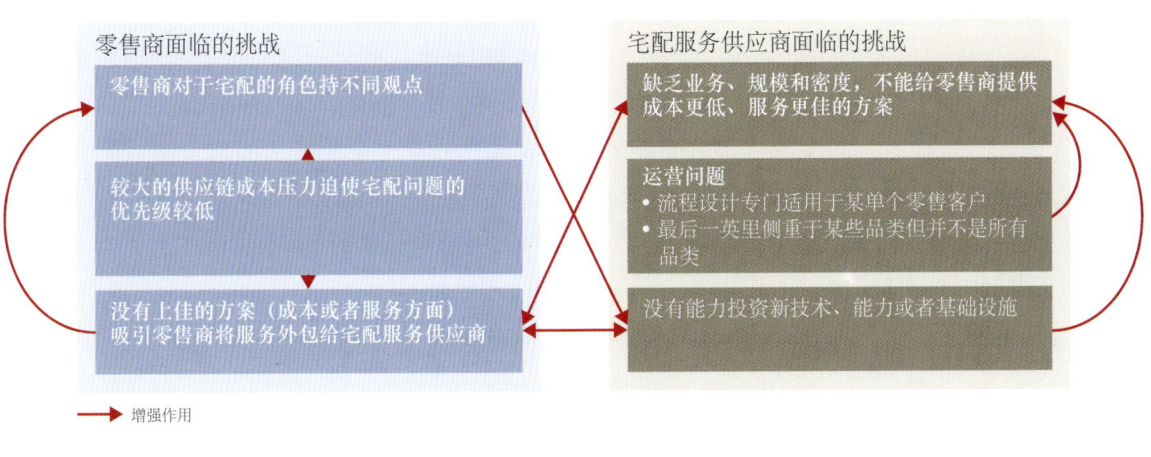

零售商面临的挑战	宅配服务供应商面临的挑战
零售商对于宅配的角色持不同观点	缺乏业务、规模和密度，不能给零售商提供成本更低、服务更佳的方案
较大的供应链成本压力迫使宅配问题的优先级较低	运营问题 • 流程设计专门适用于某单个零售客户 • 最后一英里侧重于某些品类但并不是所有品类
没有上佳的方案（成本或者服务方面）吸引零售商将服务外包给宅配服务供应商	没有能力投资新技术、能力或者基础设施

→ 增强作用

来源：科尔尼。

零售商面临大件物品宅配的三大挑战：

对宅配"角色"看法不一。 为了跟上新的零售业标准，大部分领先的零售商一般都认为他们需要调整大件物品宅配的成本、服务和订货交付时间。大多数人还一致认为建立一个前瞻性的宅配网络需要投资，包括扩大仓库网络、改进端到端配送的透明度并增加最后一英里的生产率和规模。但是，领先零售商对宅配服务战略角色的观点并不一致。一些零售商认为宅配是一个战略性的差异化因素，为了让公司内部控制业务，他们反对与其他零售商混合配送。反之，一些零售商追求绝对的绩效：降低成本的同时改善服务和速度。这些零售商一般都愿意寻求行业性的方法，提高服务和成本效益，而持前一观点的零售商则进一步加大了双方的分歧。

短期的成本压力。 零售商持续面临的压力是控制其价值链上各个环节的成本。大件物品宅配也不例外，因为其配送成本占典型顾客订单金额的百分比要高于小型品类，如：服装和消费品（见图5）。但由于面临种种成本压力，零售商常常优先处理其他事项，而耽搁了长期的、突破性的宅配解决方案的研究。

没有立竿见影的宅配服务方案。 如果目前一家领先的宅配服务公司能够提供成本更低的、更好的服务，零售商可能愿意忍受一次变革的痛苦，使用这家领先宅配服务公司的服务，而不是耗费大量时间

图5
宅配服务成本在典型的客户订单成本中占据较大份额

宅配成本占订单总金额的百分比[1]

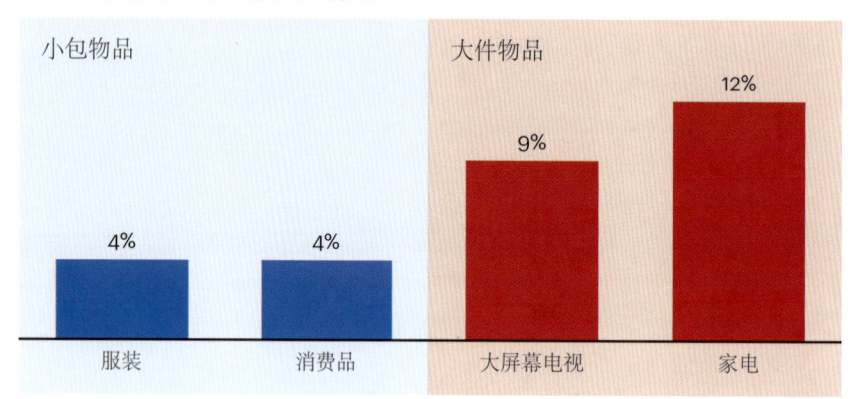

小包物品		大件物品	
服装 4%	消费品 4%	大屏幕电视 9%	家电 12%

[1] 宅配成本包括长途运输和最后一英里配送,但不包括仓库分拣和包装。
来源:科尔尼分析。

和金钱调整宅配运营。但是目前并没有这种方案,因为宅配服务公司还不能保证规模、密度或者服务范围足够大,甚至目前市场上最大的宅配服务企业也仅占年配送量的4%~6%。由于缺乏明确的供应市场备选方案,零售商无法开展突破性的变革。

服务供应商面临的挑战

零散的宅配服务行业包含大量的全国性和区域性运营商和数以百计的当地代理机构和配送承包商,其中前5家的配送量不到总配送量的30%(见图6)。

图6
前5家配送企业的货运量不到总量的30%

市场份额 (%)

- 排名前5的宅配服务供应商:28%
- 当地供应商和公司自营配送服务:72%

2011年

	宅配供应商(示例)	
全国性第三方物流公司 (大部分是轻资产)	• 3PD • J.B. Hunt • Exel • Home Direct • GE • CEVA	• Pilot • Estes • NSD • SEKO • Ryder
普遍利用		
区域性和当地的代理商 (都拥有资产或者与运营商签署了合同)	• Cardinal • Spirit • R.A.S. • Home Delivery USA • Sepro Logistics • Linn Starr	• OPTIMA • Zenith • CDS • 数百家拥有1-3辆卡车的运营商

来源:科尔尼分析。

宅配服务供应商面临的3个挑战妨碍了整合，并因此阻碍了新运营模式的出现。

缺乏规模和密度。宅配服务供应商面临的一个主要制约就是零售商不愿意混合货物，并放手其专属物流的经营。如果一家专属物流业务量很大的领先零售企业将配送量外包给一家全国性的宅配服务供应商，至少能使这家供应商的配送量翻倍。配送规模太小会产生较高的单笔订单成本，原因是固定成本会分摊到每车次所配送的几笔订单上，而且低密度的配送会增加驾驶时间。另外，由于缺乏规模和密度，会影响公司为改进服务所做的投入，比如缩短送达时段以及周末运送等。因此只有拥有了一定规模的配送量，服务供应商才能够提供突破性的供应链方案，而零售商都在等待突破性的供应链方案以配送大量货物。

运营问题。在小包裹的宅配市场，规模效应帮助FedEx和UPS创造了垄断格局。但大件物品的配送更为复杂（见图7）。比如，客户住宅处需要耗费更多的人力和时间。这一部分的服务成本约占大件物品最后一英里配送总成本的35%~45%，而对于小包裹仅占5%~10%。这一部分成本不一定能够受益于纯粹的规模效应，而是需要用新技术和流程来提高配送生产率。另外，目前没有哪家宅配服务承运商在所有大件物品品类（家具、电器和电子产品）的最后一英里配送方面表现出众的，而且很少有承运商在端到端供应链方面表现卓越。由于宅配服务公司的运营服务是提供给专门的零售企业客户的，服务范围较窄：比如提供某个具体品类的最后一英里配送，但是没有长途运输能力。而所有品类的配送，从长途运输到最后一英里配送都需要卓越的配送服务。

图7
大件物品的宅配比小包裹的更复杂

	小包裹	大件物品
密度	• 每小时停13站 • 每站停4-5分钟	• 每小时停1.7站 • 每站停35分钟
配送团队	• 1人	• 2人
与业主的互动	• 几乎没有互动，因为包裹留在门口 • 极少需要签收	• 高度互动，因为需要上门安装和保障质量 • 需要订单签收
团队成员的要求	• 驾驶 • 一些搬运工作	• 驾驶　　　　　• 客户互动 • 重物搬运　　　• 技术知识
责任	• 承担有限的责任	• 由于要送货上门和安装，承担相关责任
基础设施要求	• 安排和重新安排配送　• 退货管理 　行程的工作量小　　　• 客服中心协调 • 跟踪	• 安排和重新安排配送　• 退货管理 　行程的工作量大　　　• 客服中心协调 • 跟踪　　　　　　　　• 提前打电话确认

来源：科尔尼分析。

投资实力。宅配服务供应商没有（无法从收入中拨出）资金投资必需的新技术、能力和基础设施以提供突破性的供应方案。下列3个领域的投资是关键。

一体化的订单管理和可视化系统。很多宅配服务公司缺乏一个零售商能轻松采用的一体化无缝平台。为了进行订单协调管理、跟踪客户订单状态并有效地预测和管理客户服务问题，零售商需要端到端的能见度和协调运作——包括从零售商仓库和区域物流中心到配送路线和配送后的客户服务。如果建立了一体化的系统平台，就将有助于并促使零售商采用这一平台。

物流中心和仓库基础设施。大部分领先的宅配服务公司缺乏全国性的大型仓库和物流中心基础设施，因此无法建立基于大型产品仓储空间和较短订货交付时间的价值主张。大部分宅配服务公司资产较少，他们利用零售商拥有的资产或者租赁资产。为了支持多家零售商混合的跨品类配送网络，宅配服务公司必须投资建设他们的资产网络。

内部生产率。为了实现端到端的成本效率，宅配服务公司必须发展能够提高公司内部配送生产率的技术和物料搬运设备。例如，采用技术，比对产品规格与客户住宅信息（确认配送日期时候通过电话或者网络问卷获取此信息），从而确定是否需要拆门。然后配送任务可以分派给专业从事拆门业务的团队。

大部分宅配服务供应商都存在资本不足的情况。更糟的是，一些大型零售商仍犹豫是否要以非专属的形式将业务外包给几个选定的战略性宅配服务合作伙伴。于是这一僵局持续存在。

提倡创建全国性的宅配服务集成商

一家领先的宅配服务集成商可以解决零售商和宅配服务目前面临的挑战（见图8）。与小包裹配送服务领域的UPS和FedEx类似，集成商可能是一家全国性的服务供应商，提供端到端（长途运输和最后一英里配送）的网络，具有领先能力和技术，能保持行业最佳绩效。集成商并不是专业服务于某个具体的零售商或者产品品类，而是服务于一群客户。这种新型企业能够开展一系列到目前为止没有开展或者不能开展的重要的整合活动，从而建立规模优势，减少协调的复杂性，进而创造价值。

图8
宅配服务集成商将改变行业格局

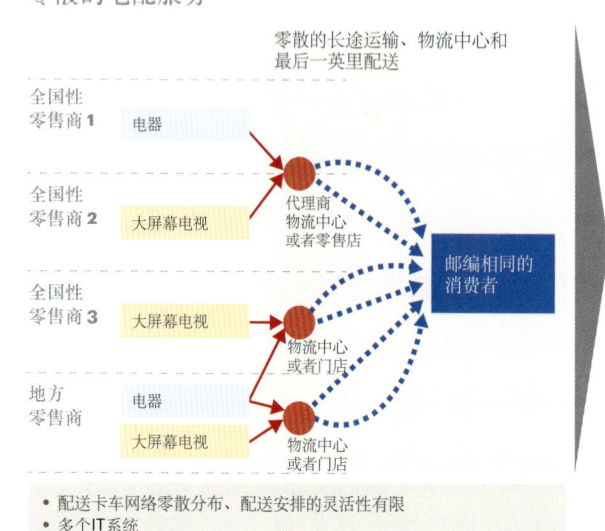

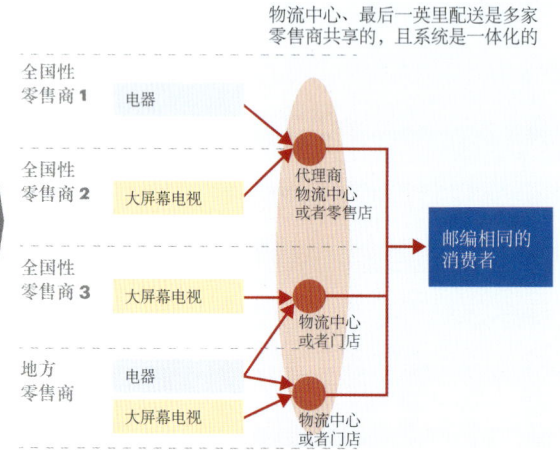

来源：科尔尼分析。

整合包含各种活动：

- 协调以及合并零售商配送量，增加最后一英里的规模和密度，从而减少每次配送的成本并增加灵活性。虽然卡车和配送员制服并不是专门服务某一家零售商的，但可以通过其他方式在交货时体现差异化，例如提供零售商品牌发票和信息包，以及使用无线平板获取零售商的具体产品信息。

- 设置最后一英里的配送安排，混合各个品类的产品订单。
- 制定一体化的系统平台，以实现端到端的订单管理和可视化跟踪，实现从下订单到配送后均一致的客户服务体验。
- 开发软件工具以提高生产力，比如线路优化和配送管理，并提供激励措施从而持续改善下游的当地配送网络。
- 建立全国性的培训项目，确保配送质量始终如一。

对零售商而言，一体化的宅配服务网络为大件物品宅配服务增添了**战略灵活性**，从而使服务满足不断发展的业务需求。跨公司的规模和密度会产生惊人的价值，对于网上精品零售店或区域经销商等试图利用这一价值的公司而言，选择一体化的宅配服务网络是非常明智的。如果配送量大的大型经销商重视成本和服务的规模效益，而不是侧重于将公司内部配送能力发展成为竞争的差异化因素，也可能会选择这一网络。这样，公司只需要提供少量的投资，就能够获得理想的外包方案。

最后，集成商网络有助于零售商发掘并**获得巨额成本节省**。一家中型零售商通过采用跨零售商跨品类的配送网络，使配送规模翻倍，这家零售商能够节省大约7%的最后一英里配送成本。随着网络的发展，节省额度也随之增加——当配送量为目前零售商平均配送量的9~10倍时，成本节省额达到20%。（见图9）。（注意这一节省额仅来自最后一英里配送密度和规模的增加。通过增加上游长途运输规模、改进系统和流程实现的生产率和协调性，将会节省更多成本）。

图9
零售商成本随着集成商网络的扩张逐渐降低

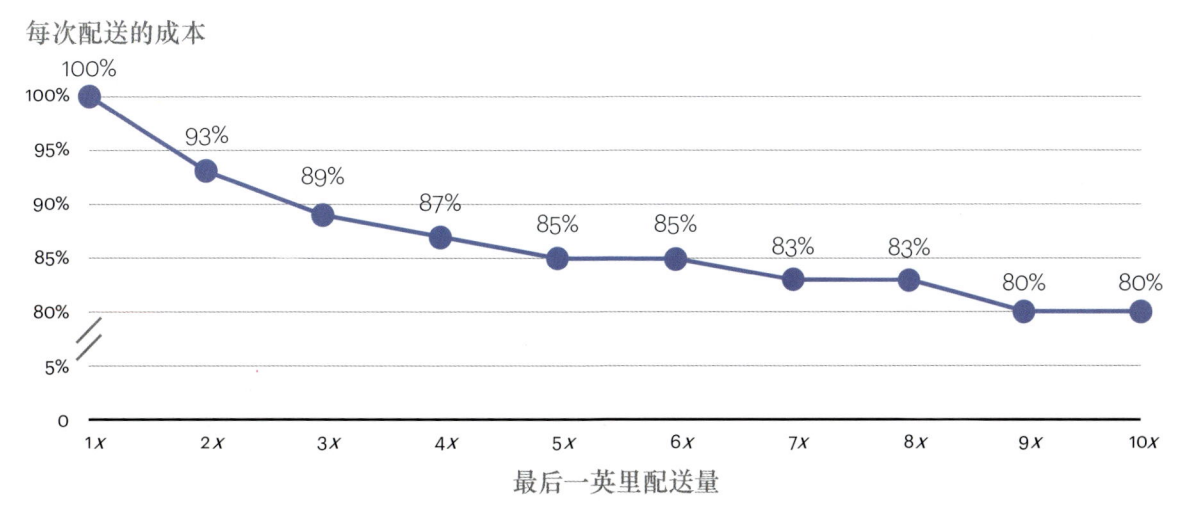

每次配送的成本

最后一英里配送量	成本
1x	100%
2x	93%
3x	89%
4x	87%
5x	85%
6x	85%
7x	83%
8x	83%
9x	80%
10x	80%

注：x表示一家中等规模零售商每年约100万-300万次的年配送量。
来源：科尔尼分析。

未来，大型宅配服务集成商网络能够**创造突破性的规模**和密度，同时减少协调的复杂性。结果会产生一个平台，从而取代由零售商专属合作伙伴、低密度配送车辆和IT系统所组成的零散型网络。随着越来越多的零售商迁移到新的宅配服务集成商平台上，业态中的零散性和复杂性得以缩减，并促进更多零售商迁移。

结构性变化也将鼓励宅配服务集成商做出**前瞻性的投资**。通过集成创造的价值将增加零售商和宅配服务公司共同的利益。在其他条件不变的情况下，这一双赢而非零和赛局的提议将增加集成商的利润。

业务增长和利润增长结合起来，将产生一个良性循环，即吸引能力开发和技术开发的投资，从而进一步提高集成商网络效率、优化服务、改善零售商采用的难易度。

三合一：协作

零售商、宅配服务供应商和投资者联合起来能共同创造一个全国范围的单一品牌的集成商网络。如果三方都勇于冒险，并且互相起到相辅相成的作用，就能够创造变革性的双赢价值。

零售商如果积极寻找潜力大的宅配服务供应商并与其建立合作关系，就能够实现突破性的宅配绩效。通过合理调整现有专用网络并将其外包给目标合作伙伴，零售商就能够为打破当前僵局做出巨大贡献，并开始实现集成商的愿景。目光长远的零售商将保障宅配绩效，获得竞争优势，从而处于领先地位。

建立了全国性集成网络的宅配服务供应商将扮演关键角色。第一步是划分零售商并以合适的零售商作为目标，积极扩大规模，通过投资资产和技术，获得重要能力、提升服务水平、提高最后一英里配送效率和端到端的透明度。这一步也包括开发方案，从而有选择地获取那些未充分利用，但能在混合业务网络中得到更好利用的零售商资产。如果集成商制定出具有吸引力的商业案例，将吸引投资商参与，从而获得至关重要的资本输入。

在这场转型中，机构投资和私募基金也将扮演重要角色。投资者可以给目标宏远的宅配服务供应商提供所需要的资本，以便开发基础设施系统和提升生产率的技术，从而促使零售商采用混合配送的全国性集成商网络。而作为回报，这些明智的投资者可以拭目以待，在不断增长的大件物品宅配服务领域，双赢的转型活动将产生稳健的投资回报。

作者

Jeff Ward，科尔尼全球合伙人，常驻芝加哥办公室
电子邮箱：jeff.ward@atkearney.com

Kumar Venkataraman，科尔尼全球合伙人，常驻芝加哥办公室
电子邮箱：kumar.venkataraman@atkearney.com

Jeff Sexstone，科尔尼董事，常驻亚特兰大办公室
电子邮箱：jeffrey.sexstone@atkearney.com

Arsenio Martinez，科尔尼董事，常驻纽约办公室
电子邮箱：arsenio.martinezsimon@atkearney.com

Michael Hu，科尔尼董事，常驻芝加哥办公室
电子邮箱：michael.hu@atkearney.com

ATKearney

拟定化工行业发展新议程

第七次化工行业客户连接性指数（C3X）调查的研究主题是化工企业如何在动荡的市场环境下脱颖而出。

过去几年的动荡市场行情让化工企业难以找到明确的战略方向。大部分企业继而采用战略匹配、增加投资组合效益、改进运营健康程度的方法维护成果,但值得注意的一点是,缺少能让化工行业快速提升的新动力——新颖的创新、发展主题甚至分子材料。结果,业内很多企业的收入突然减少,而其他企业的收益仅仅是源于市场板块中的横向发展。

第七次化工行业客户连接性指数(C3X)从化工企业及其直接客户的高管人员所处的优势观察角度出发,对化工行业进行了评估。指数详细研究了高管人员的行业发展观点,以便制定能在化工行业中达到卓越的战略(参见:关于本研究)。

取得未来成功没有必胜之策,但我们通过最新的C3X研究确定了一系列颠覆性的举措,如果妥善采用,就能够让化工企业在动荡的市场环境中脱颖而出。

在动荡市场中保持盈利能力

过去几年,化工产品生产商保持持续增长,主要是因为他们能够将原材料成本上涨转嫁给消费者。60%的C3X受访者称去年收入增长高达10%。而1/4的生产商称去年收入下滑,这一比例超过2012年。

未来前景更加光明,这与世界银行和经合组织(OECD)对北美、中国以及部分欧洲国家的宏观经济展望是一致的。虽然原材料成本上涨,74%的生产商高管预计行业需求增幅在10%以内,余下受访者预计为10%及以上。客户一般都支持这一积极预期,虽然1/5的客户预计需求下跌(见图1)。

图1
大部分受访企业预计未来需求会温和增长

你预计明年的需求增幅如何?

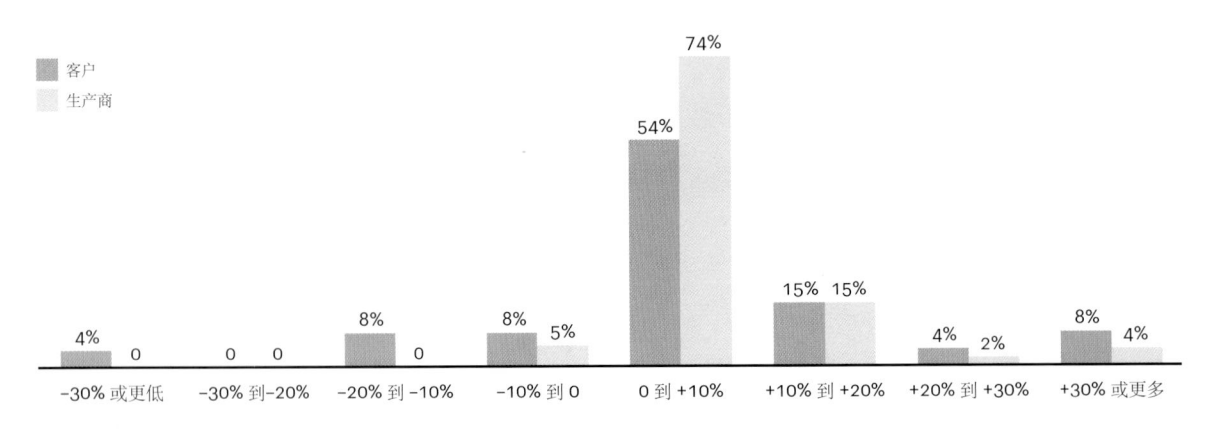

	客户	生产商
-30% 或更低	4%	0
-30% 到 -20%	0	0
-20% 到 -10%	8%	0
-10% 到 0	8%	5%
0 到 +10%	54%	74%
+10% 到 +20%	15%	15%
+20% 到 +30%	4%	2%
+30% 或更多	8%	4%

来源:2013年化工行业客户连接性指数(C3X);科尔尼分析。

所有的受访者似乎都意识到,市场的波动性是固有的。除了采用更强有力的精益化技术和运营效率提升的举措之外,各家企业还同时采用增加业务系统灵活性和增强核心能力的举措以实现平衡地改进。但是,深入分析数据表明,很少有生产商在管理系统中使用了强大的标准化的危机管理工具,以求在市场出现大幅波动的情况下保障赢利能力和流动性。此外,行业领先企业逐渐发现,内部协作和对客户要求的充分了解能够增强协作,带来最大的收益。

对所有欧洲受访者的调查结果表明欧洲各地经济情况迥异。3/4的德国受访者称欧洲财政状况的影响较低或者一般;而另一方面,一半以上的欧洲受访者称影响很大或者非常大(见图2)。

图2
经济不稳定对德国生产商的影响低于对欧洲其他国家生产商的影响

经济不稳定对贵公司业务产生了怎样的影响?

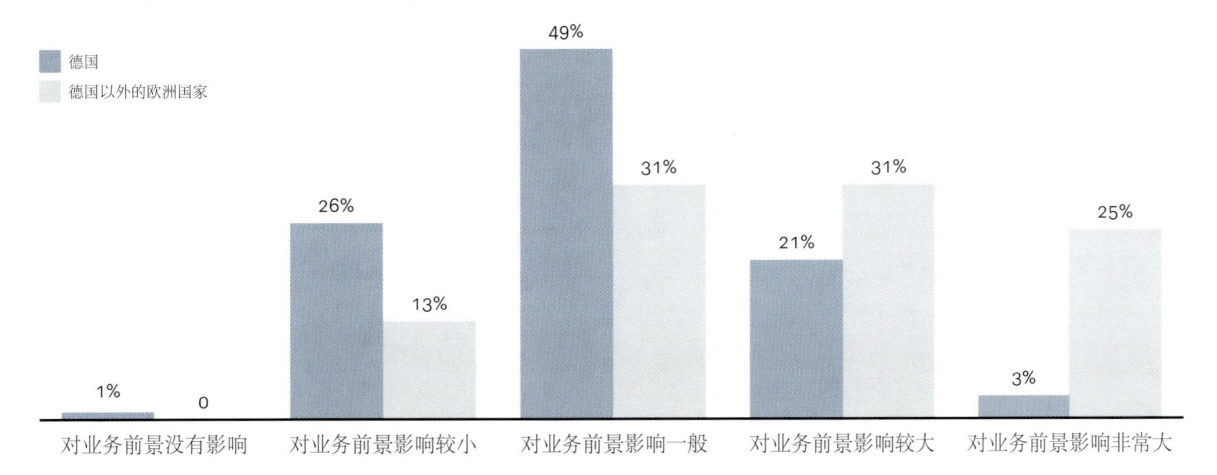

- 德国
- 德国以外的欧洲国家

	对业务前景没有影响	对业务前景影响较小	对业务前景影响一般	对业务前景影响较大	对业务前景影响非常大
德国	1%	26%	49%	21%	3%
德国以外的欧洲国家	0	13%	31%	31%	25%

来源:2013年生产商客户连接性指数(C3X);科尔尼分析。

获益于原材料价格下跌

上次调查至今,原材料可获性和价格趋于平稳。10%的受访者称他们认为去年原材料价格上涨,好于2013年C3X调查中受访者的预期。28%的受访者称他们认为去年原材料价格温和下跌。

> 几十年来,化工行业缺乏能够推动增长的真正的突破性创新。

对于化工生产商需要采取哪些手段协助客户增加可持续性这一问题,一年前,替代性原材料的可获性这项位列第一;2014年该项列于第三位,主要原因是美国原油价格持平或下跌,而且页岩气兴起,使得页岩气衍生物价格下跌。目前,生产商对供应的可获性和替代性原材料的关注程度减少。

关于本研究

化工行业客户连接性指数(C3X)从化学品公司及其客户公司的优势视角分析了化学品行业。本研究基于一项问卷调查,该问卷调查对象是领先化学品公司的高管及其客户行业的面向供应商的决策者。该研究由科尔尼与CHEManager Europe以及明斯特大学化学与药学系的工商管理学院共同完成。

第一次C3X报告发布于2008年,之后每隔6~12个月发布一次。2013年6~7月开展的第七次C3X调查包含约150名生产商及其客户公司的高管,他们来自10个欧洲国家以及美国、印度、韩国和中国。客户行业涵盖各个不同领域,包括从汽车到食品到化妆品领域。

由于大部分基本的分子材料的流动性增加，目前成本竞争力已成为保障原材料的最重要因素，因此卓越的供应管理仍然是未来一个重要的差异化因素。由于直接材料供给方面的支出常常占总成本的50%~60%，生产商需要一流的能力对其进行管理。

预计关注供应管理的做法将沿着供应链推广开来。生产商通过进一步关注供应商（实现一般的价值提升）和客户（例如协作创新）增强供应管理。

在市场商品化过程中加强创新

2008—2009年金融危机和信贷紧缩之前，大部分生产商认为有必要进行持续创新，并大规模投注中长期开发。甚至在危机期间，生产商也称希望持续投资于创新。然而去年，生产商的创新支出占收入的比例虽然保持稳定但是较低；仅30%的生产商花费5%以上的销售收入用于创新。化工客户方面，创新支出减少；称公司创新支出仅为2%或者更少的化工客户企业数量是去年的两倍，达到40%。

虽然愿望良好，几十年以来，化工行业缺乏能够推动进一步增长的真正的突破性创新。化工行业的某些板块已将投资重点转移到了能够进一步提高资产效率和规模的工程和技术之上——而不是创造突破性的增长。而通过增量式创新保持市场份额和竞争地位是实现长期成功的关键。

过去一年，生产商认为创新重点的是新产品特征（80%），并力求打造"领先创新企业"形象（75%）。这两点被评为从第一次C3X调查迄今生产商最重视的两点，虽然排名发生了交换。客户则认为，化学产品供应商的创新领先企业形象（81%受访者选择）是最重要的创新属性，而看重新产品特征的客户比例低得多（58%）。对客户而言第二重要的是新的化工产品（73%）——但仅有38%的生产商认为这一点很重要。客户认为新应用（71%）是第三重要的。虽然客户和生产商对上述几项的认识有分歧，客户和生产商似乎都一致认为新应用和产品特征要比创新型的业务或服务模式更重要。

几乎一半的化工企业受访者称由于增强了与客户的协作，他们已经将研发方法转向了开放式创新。而问卷调查证明，毫无疑问，创新领域的加强合作已经取得成效。由于与客户在创新领域进行创新，1/3的生产商实现了产品价格的溢价（见图3）。

图3
协作正在改变着创新

开放式创新对贵公司业务影响如何？

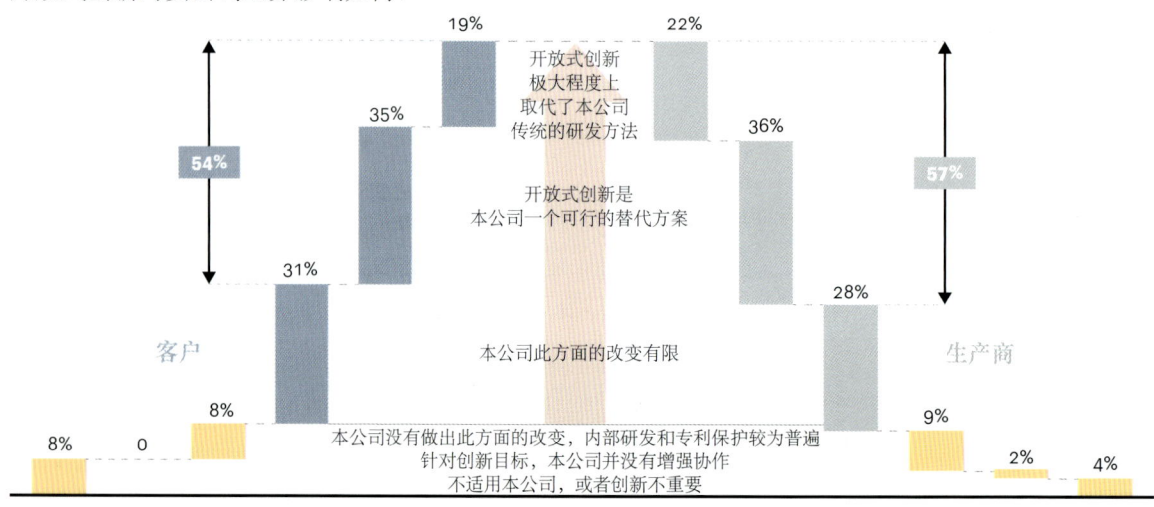

	客户	生产商
开放式创新极大程度上取代了本公司传统的研发方法	19%	22%
开放式创新是本公司一个可行的替代方案	35% (54%)	36% (57%)
	31%	28%
本公司此方面的改变有限	8%	9%
本公司没有做出此方面的改变，内部研发和专利保护较为普遍	0	2%
针对创新目标，本公司并没有增强协作	8%	4%
不适用本公司，或者创新不重要		

来源：2013年化工行业客户连接性指数（C3X）；科尔尼分析。

然而，也有观点不一致的方面。客户受访者认为他们的公司乐于分享客户需求信息，但化工企业似乎并不认同。27%的客户受访者称他们"非常乐意"与供应商分享客户需求方面的洞察意见，以便获得他们的帮助，满足终端客户需求；没有客户受访者称他们的公司"一般不愿意"分享信息。但仅有9%的供应商称他们的主要客户"非常乐于"分享客户的意见，而36%的人认为其客户"一般不乐于"协作。

通过协作创造价值

受访者确认，他们预计未来的价值将来自与供应商和客户的交流。最需要改进的领域是卓越的定价（77%），更快的创新的赢利速度（65%）以及卓越的流程（62%）（见图4）。

图4
生产商对客户需求的看法有何不同？

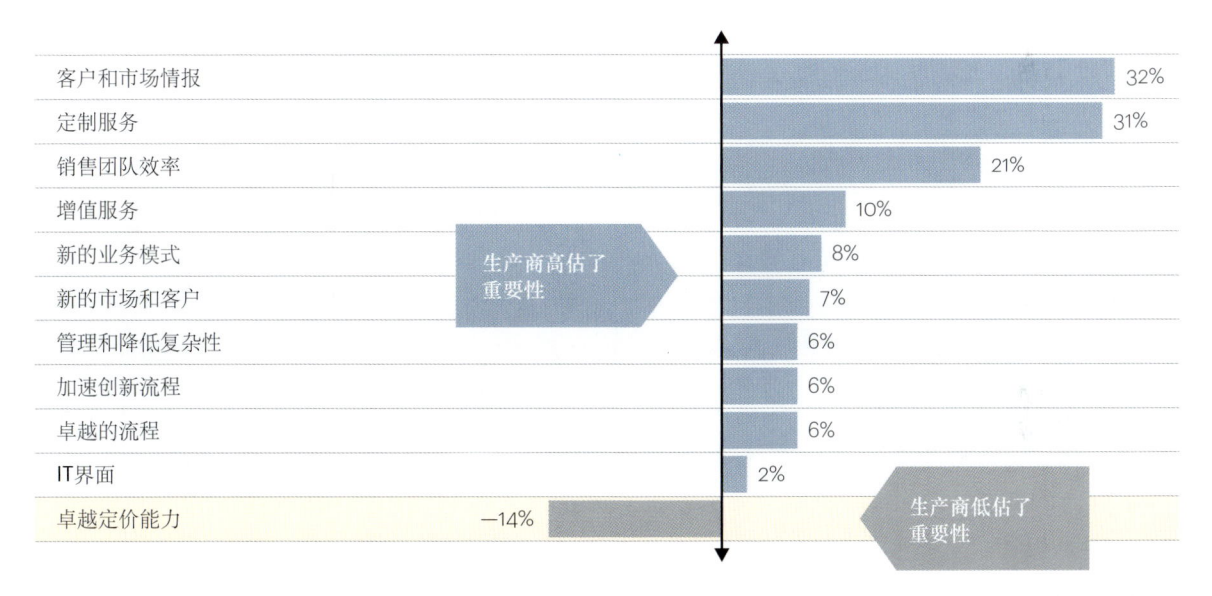

项目	差额
客户和市场情报	32%
定制服务	31%
销售团队效率	21%
增值服务	10%
新的业务模式	8%
新的市场和客户	7%
管理和降低复杂性	6%
加速创新流程	6%
卓越的流程	6%
IT界面	2%
卓越定价能力	—14%

生产商高估了重要性 ← → 生产商低估了重要性

注：受访者按照1（不重要）到5(非常重要)级对选项进行评价；百分比表明的是选择4或者5的客户与选择4或5的生产商的比例差额。
来源：化工行业连接性指数（C3X）；科尔尼分析。

约90%的客户受访者称他们的公司定期与供应商会面，而两年前，仅有2/3的调查对象这样做，这是生产商与客户良好联络的迹象。另外，与客户的客户会面的生产商比例仍然保持不变，为45%。

化工企业与客户更习惯于相互协作。

2014年的C3X研究表明，生产商与其客户习惯于采用更专业更有针对性的方式进行协作。生产商预计，仅在欧洲这个6500亿欧元规模的市场中，增强协作将带来近300亿欧元的收入和成本收益。

对于生成市场情报供"内部使用"以及销售团队效率这两项，生产商仍然高估了客户的重视程度。但客户的确报告称，经销商逐步地大力推进协作的确让他们受益（从74%达到84%）。

客户受访者确认协作已经极大地增强，85%的人称他们将在未来5年更进一步协作（见图5）。

拟定化工行业发展新议程　63

图5
价值链上的协作程度

贵公司价值链上各环节的协作程度如何？

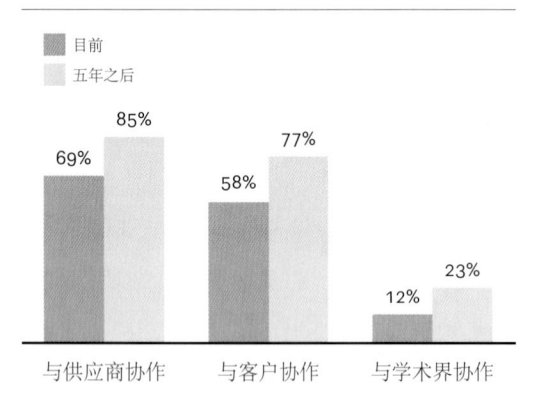

客户观点
- 目前
- 五年之后

	与供应商协作	与客户协作	与学术界协作
目前	69%	58%	12%
五年之后	85%	77%	23%

生产商观点

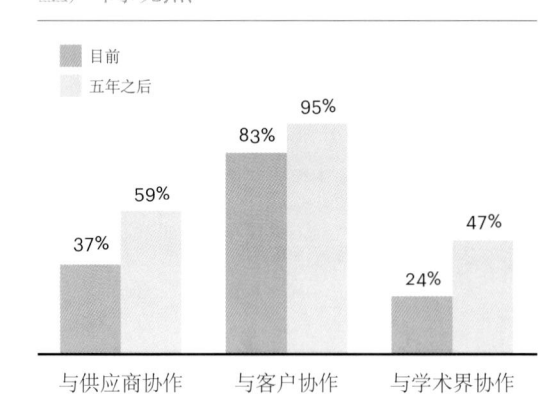

	与供应商协作	与客户协作	与学术界协作
目前	37%	83%	24%
五年之后	59%	95%	47%

注：百分比表示回答"高"或者"非常高"的受访者人数占比。
来源：化工行业客户连接性指数（C3X）；科尔尼分析。

对定制服务重要性的看法也存在着差异。近2/3的生产商受访者称他们认为该项对客户很重要，但仅有42%的客户称该项很重要。出现分歧的原因是缺乏开诚布公的沟通，而这种沟通有助于设定合适的客制化和定制化水平。这一分歧也催生了一些新的主张，即调整传统行业板块中市场部门的角色，消除过时的活动，增加销售和技术服务部门的整合，以及沿着价值链进一步扩展定制化服务。

虽然双方一致认为协作重要，但实施仍然困难重重。

然而双方对定价的重要性持不同观点，很明显客户想在这一方面获得最大收益。

虽然双方一致认为协作重要，但实施仍然困难重重。缺乏"合适"的人才和能力（48%）是最常见的问题，虽然生产商受访者认为这一情况有所改善。其次是缺乏对外部合作方的信任（46%）。其他协作方面的挑战还包括管理流程低效和管理人员的支持不力（23%），无效的治理（21%），战略不明确（15%），缺乏激励（13%）以及没有能力衡量进展（10%）。

揭开可持续性的面纱

今年的调查中，生产商及其客户两方面对可持续性相关问题的关注程度是几年来最低的（见图6）。关注增强的唯一一项是客户受访者对废物处理的看法——50%的人认为该项是工作重点（但仅有26%的生产商受访者认为这一点对客户而言是重点）。

图6
化工行业需要采取哪些行动增强可持续性？

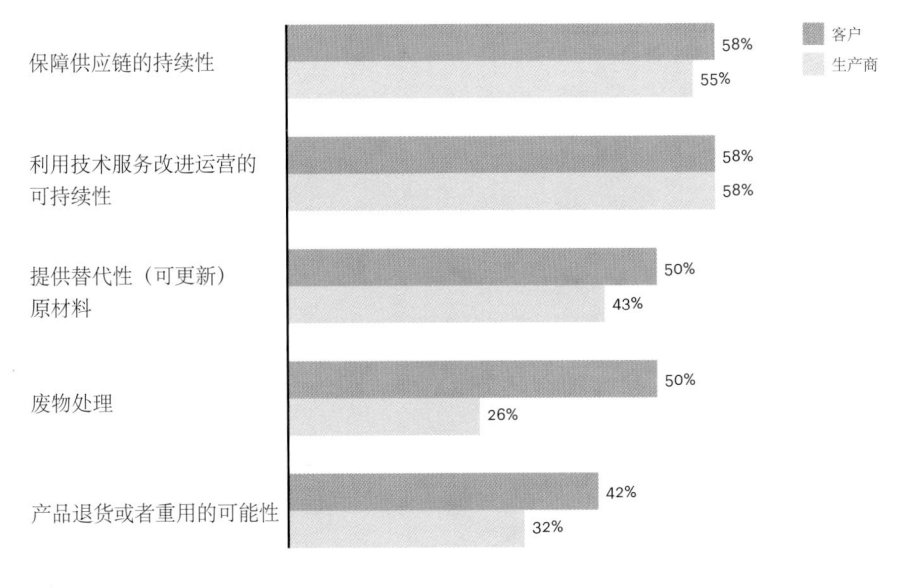

行动	客户	生产商
保障供应链的持续性	58%	55%
利用技术服务改进运营的可持续性	58%	58%
提供替代性（可更新）原材料	50%	43%
废物处理	50%	26%
产品退货或者重用的可能性	42%	32%

注：百分比表明的是回答高或者非常高的受访者所占比例。
来源：化工行业客户连接性指数（C3X）；科尔尼分析。

这一结果仍有待证实：对化工行业而言，可持续性的重要性真的降低了吗？研究表明，与其他国家的生产商相比，德国生产商认为可持续性更加重要——其他国家的经济问题更为严重。因此可持续性有可能在财政紧张时期会退居次要地位。

> 对化工行业而言，可持续性的重要性真的降低了吗？可能是可持续性在财政紧张时期会退居次要地位。

此外，欧洲以外的国家更重视可持续性方面的问题，比如废物处理和可重用性。鉴于过去几年，欧洲非常注重可持续性，此结果可能表明欧洲可持续性已经达到了一定的满意程度，而其他非欧洲国家正采取更多行动向前发展。

利用经销商降低产品组合的复杂性

多年以来，复杂性管理是很多生产商的关注重点。随着生产商精简产品组合，经销商的角色在全球范围内变得更加重要，本调查的受访者称经销商和转销商是未来最重要的合作伙伴之一。

生产商若要针对大客户、核心市场和地区集中开展活动，经销商至关重要。越来越多的情况下，部署经销商的目的是在诸如配方、物流、服务客户的速度、后台活动甚至补充性产品方面增加价值。

同时，由于需要在价值链各环节更好地协作，对经销商绩效和能力的预期也相应地提高了。经销商和转销商都在重新调整定位，以便更多地以合作伙伴关系服务生产商，同时生产商也认识到与经销商建立友好关系和从经销商受益是同等重要的。

> **部署经销商的目的是**在诸如配货、物流、服务客户的速度、后台活动甚至补充性产品方面增加价值。

投资于正确的区域，实现增长

新能源——特别是美国页岩气的兴起——目前对投资决策的影响极小，包括对区域业务决策的影响。近1/3的受访者称，这些新资源几乎完全没有影响。这些新能源对供需平衡的影响也微乎其微，近一半的生产商受访者和3/4的客户受访者认为没有改变或者变化很小。

另外，中国仍然是区域增长焦点，调查参与者称他们将在未来3年投资中国，以新建更多生产能力。7%的生产商受访者和46%的客户受访者将中国列为重点地区。

对生产商而言，西欧（50%）和北美（43%）是紧随中国之后的最重要的地区。对比近期结果，北美进一步成为近期投资的潜在地点；2011年的C3X调查中，仅8%的生产商认为北美是投资目的地。另外，客户认为印度（42%）和南美（27%）是第二和第三重要的增长地区（见图7）。

图7
哪些地区是贵公司的重点投资地区？

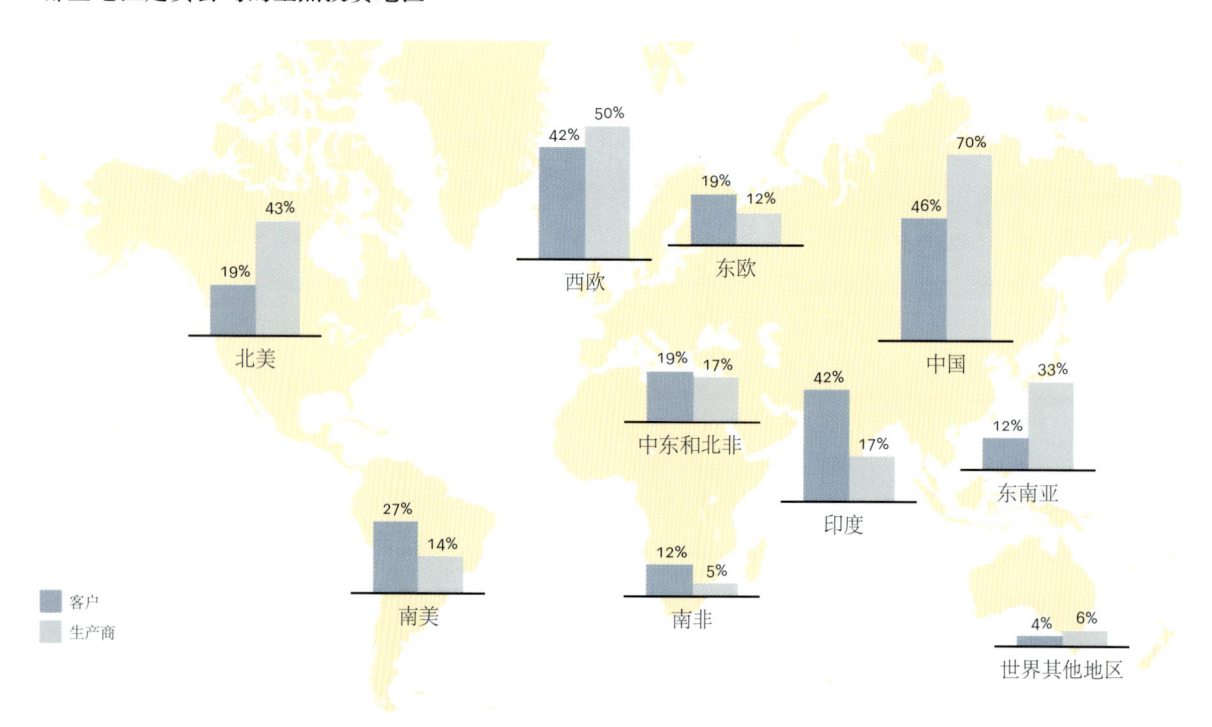

地区	客户	生产商
北美	19%	43%
西欧	42%	50%
东欧	19%	12%
中国	46%	70%
中东和北非	19%	17%
印度	42%	17%
东南亚	12%	33%
南美	27%	14%
南非	12%	5%
世界其他地区	4%	6%

注：因为受访者可以选择1-3个重点投资地区，百分比总数加起来会超过100%。
来源：化工行业客户连接性指数（C3X）；科尔尼分析。

开辟化工市场发展新道路

虽然涌现出了大量机遇,化工行业最近几年呈现的特征是纷纷采取行动巩固内部流程——而一些企业则处于增长停滞的状态。但即便在动荡的格局中,化工行业也可以采取很多行动实现短期增长并培养长期竞争优势。

作者

Tobias Lewe,科尔尼全球合伙人,常驻杜塞尔多夫办公室
电子邮箱:tobias.lewe@atkearney.com

Otto Schulz,科尔尼全球合伙人,常驻杜塞尔多夫办公室
电子邮箱:otto.schulz@atkearney.com

Inna Baigozina,科尔尼全球合伙人,常驻伦敦办公室
电子邮箱:inna.baigozina@atkearney.com

Chris McNally,科尔尼全球合伙人,常驻香港办公室
电子邮箱:chris.mcnally@atkearney.com

Hendrik Disteldorf,科尔尼董事,常驻纽约办公室
电子邮箱:hendrik.disteldorf@atkearney.com

Robert Renard,科尔尼咨询顾问,常驻法兰克福办公室
电子邮箱:robert.renard@atkearney.com

ATKearney

数字化时代的银行业发展

从全球领先零售银行探究数字化银行发展现状,并预期未来挑战。

前言

数字化银行不仅是对市场下一个大趋势的炒作。对于任何一家银行来说，要想克服方法陈旧和客户关系管理不当等问题，数字化银行是不可或缺的。目前，世界各银行都在积极推动内外部的数字化发展。

但是，目前很多银行采取的措施都只是个开始，包括测试新的产品和服务，效仿市场领导者等。真正的转型需要更深刻、更广泛的变革，必须放弃旧习，如提供复杂的产品、让客户到柜台办理业务等。此外，要实现转型还需清理旧的流程和技术。废弃陈旧结构，建立新的结构，营造相应环境。这一过程可能比较痛苦，但是有远见的银行将从现在开始寻求变革。

时不我待。在区域银行能力、国内客户需求、外部市场动态及法律法规等因素的推动下，部分地区已经具备了较成熟的数字化银行环境。虽然理想的时间取决于各地区的环境，但全球各地的银行都在向数字化迈进，且他们采用的方法也非常有趣。

本次研究由Efma和科尔尼共同开展，其间我们深入研究了其他国家银行的动态，揭示了银行业数字化发展的未来。

摘要

世界范围内各银行都在探索深化数字化业务模式的方法。到目前为止，虽然非银行机构积极推出了很多新的产品和服务，但颠覆性的改变尚未出现。除逐渐增加无纸化交易外，银行主要着重加强具备增值服务的产品系列和实现各渠道客户体验的一致性。

也就是说，各银行很明显都把改革的重点放在外部面向客户的要素上。很少有银行对内部组织或治理原则做出根本性改变。大多数客户仍由各分行网点负责，而不能大胆将后台打造成客户互动的中央协调员。虽然IT系统的整合使成本得以下降，但不能满足对产品上市速度和处理速度的要求。

除了变革方式与银行发展不符之外，变革的步伐也在不断加快：新的技术型公司正潮水般涌入市场，提供创新的金融服务产品。客户越来越愿意尝试各种电子商务服务，甚至监管机构也重新调整了流程以适应新的理念。各地区数字化发展水平不同，因此变革时间很难预测，但我们建议银行最好现在就开始准备。

随着价值链被打破，数字化变革将更加彻底，特别是客户互动、产品配置和交易处理等方面的数字化。推进数字化发展需要灵活的流程、由新产品和服务支撑的创新赢利模式、彻底的文化转变——所有这些都与区域环境保持同步。我们新开发的数字化银行准备度指数（DiBRix）可以用来指导这一变革历程。

数字化银行的发展

数字化银行的意义不仅在于无纸化交易。行业领先机构现在为客户提供更好的新体验和更快、更有效的服务。

智能、方便、需求大——但仍然不足

数字化银行已经存在多年，金融危机后，很多专家都将其称为拯救支离破碎的银行业的解药。他们的这种说法也许是对的。

然而我们都知道，银行业的变革效率一向不高。银行所吹捧的革命性转变还未出现，据说这些变革能够带来很多新的产品特性，包括随时随地享受银行服务、快速响应、无处不在的顾问服务。但这些新

的客户体验还没有实现。那么，银行为什么不加快数字化变革步伐？因为数字化发展比预期更需要根本性的变革。

过去几十见年间，银行业发展一直处于平稳状态：客户流失率较低、区域竞争几乎不存在，人际关系良好、值得信任、监管方干预较少。银行很容易就能走在前沿，不会面临变革的压力。

现在，很多来自相邻产业的竞争对手和金融技术新秀不断涌入市场，提供从传统银行业模式衍生出来的创新和技术驱动型产品和服务。雪上加霜的是，客户的态度也发生了根本性的转变。他们做出决定的速度更快，可以获得种类更加繁多的产品和服务，使金融机构为维护客户忠诚度而苦苦挣扎。

在快速发展的高要求数字化世界，挑战异常严峻。银行业所面临的问题不是找到新的数字化解决方案，而是维持健康的发展，这一问题由来已久。就像身体不好，穿再好的跑鞋也跑不快一样。银行业发展的健康状况出了问题，有再好的工具也是无济于事，他们现在做的只是为未来热身而已。

数字化银行的前景

理想情况下，数字化银行对内和对外都有益处：对外可提供新的客户体验，对内可推动高效和有效的运营模式——这两方面都能通过数字化、基本技术、流程和结构实现（见图1）。

图1

数字化银行对内和对外均提供最佳解决方案

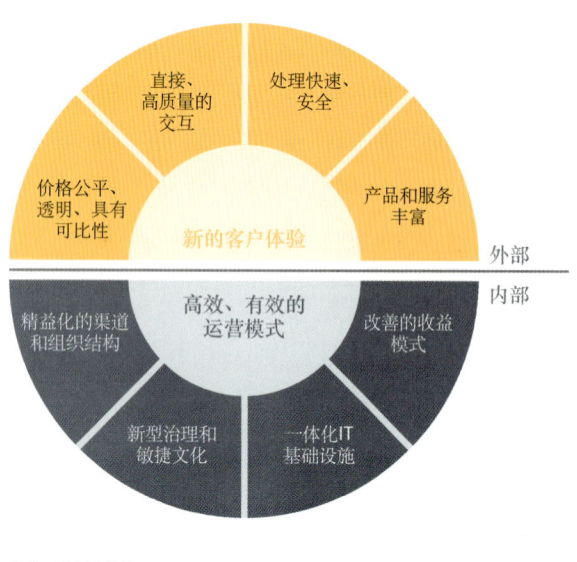

对外而言，公平的价格、透明度和可比性的提高可以使客户从中获益。银行通过直接、高质量的交互满足客户需求，使交易能够快速安全完成，产品认购处理时间将不会超过14天。银行会主动向客户介绍各种个性化的产品和服务，包括金融咨询、新机遇、同业比较等。总的来说，就是客户很享受银行的服务，愿意收到来自银行（非银行）的消息。

实现以上的一切离不开内部的支持。重塑基础运营模式，建立精益化渠道和组织结构，实现快速处理。此外，更新决策和治理流程，创建更加敏捷的新文化，具备能够支持优质客户体验的恰当精神。整合IT基础设施以便满足所有要求，利用快速计算机运算加快处理速度。最后同样重要的是，数字化银行将改变创收方式。随着以客户为中心变得越加重要，对客户的深入了解将创造新的收入来源，如第三方广告、付费增值服务等。

来源：科尔尼分析。

行动中的银行

银行现在正小心应对这些新的挑战。虽然数字化发展提高了内部流程效率，但对提高客户增值服务方面的效果却微乎其微，如钱包解决方案、个人理财管理工具、全渠道客户体验等。市场上非常成熟的解决方案寥寥无几。

目前只采取了很小的措施：加强产品和服务阵容

数字化银行发展的第一步主要是着重利用以技术为基础的新服务，扩大现有产品阵容，从而使客户办理业务更加方便，获得更大的价值。这方面最突出的例子就是手机银行的应用、电子钱包解决方案、个人理财管理（PFM）工具（见图2）。特别是手机银行和PFM深受顾客的青睐，在大多数地区的下载率占客户总数的60%。例如，美国一银行和保险供应商USAA近期在手机银行前端推出了一项带有类似Siri的虚拟手机助手的应用，智能手机客户可通过语音命令操作和完成200多项功能。在西班牙，CaixaBank提供一款叫做ReciBox的账单管理个人理财服务。该服务是免费的，能够与电脑、平板电脑和手机设备兼容，帮助客户管理账单，如果客户有不寻常的大额账单或资金不足，ReciBox会在扣款前通过短信或邮件提醒。但是，很少有银行提供更先进的个人理财管理工具，比如具备同业比较、自动产品推荐、预测能力等工具。

图2
手机应用引领数字化银行发展

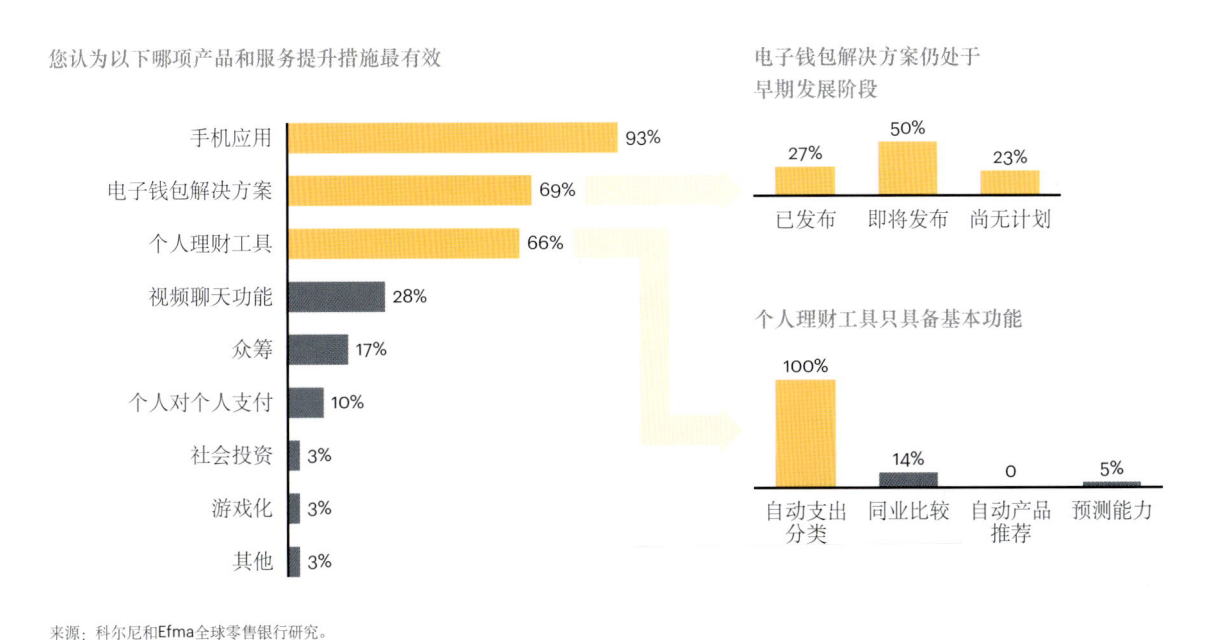

您认为以下哪项产品和服务提升措施最有效
- 手机应用 93%
- 电子钱包解决方案 69%
- 个人理财工具 66%
- 视频聊天功能 28%
- 众筹 17%
- 个人对个人支付 10%
- 社会投资 3%
- 游戏化 3%
- 其他 3%

电子钱包解决方案仍处于早期发展阶段
- 已发布 27%
- 即将发布 50%
- 尚无计划 23%

个人理财工具只具备基本功能
- 自动支出分类 100%
- 同业比较 14%
- 自动产品推荐 0
- 预测能力 5%

来源：科尔尼和Efma全球零售银行研究。

其他解决方案，如人工智能、咨询服务所用的视频和聊天功能、众筹、对等支付、社会投资等虽已被接纳，但仍不成熟。有些银行对这些方面非常感兴趣，并已经开始和技术公司合作探索可能的新业务模式。例如花旗集团、加拿大皇家银行和奥盛银行都宣布了与IMB机器人Watson合作的计划，目的是提高客户咨询体验。Watson因其在电视智力问答节目Jepoardy中击败人类而闻名。

> **我们总是高估了未来2年的变化，却低估了未来10年的变化。不要被麻痹，让自己陷入不作为的状态。**
>
> ——比尔·盖茨

视频咨询服务是最富争议的话题之一：美国、北欧国家和比利时、荷兰及卢森堡对这项技术非常有信心，而且该技术也很受客户欢迎，但在西班牙、意大利、法国和德国等地区的客户就没有那么感兴趣了。

通常扩大产品和服务阵容仅仅是个开始。接下来，基于来自不同渠道——如社交网络、移动网络、应用和经过整理的内部数据——的见解，肯定会有更复杂的服务产生。世界各地很多创新型金融技术公司有一些典型的例子。如沃达丰（Vodafone）和萨法利（Safaricom）开发了M-PESA，为肯尼亚广大无银行账户人口提供服务。M-PESA用户在加油站或超市等代理处向账户存入现金，然后使用手机向零售商或其他个人支付。M-PESA可以代替银行账户和信用卡，对农村人口特别有吸引力。2012年，肯尼亚有大约1/3的人口使用过M-PESA。另一个关注点能更有效利用群众的智慧，为现有咨询服务提供支持。目前，咨询概念仍然以网点员工为中心，提供现场咨询或视频咨询。下一步的发展会更加深入，将利用著名业内专家，采用众多客户的意见。银行可能会采用同行的购买决策帮助客户做出决定，有点类似于亚马逊的自动次优产品决策支持系统。以社会投资为例：现在已经有一些金融技术公司提供社会交易和投资服务，让客户能够依据顶级操盘手的追踪记录和追随者数量与这些操盘手同步进行交易。虽然银行目前还没有这么做，但他们的定位是在以咨询为导向的投资领域占据领先地位。根据市场新进者的成功情况，银行需要及时应对，调整相应的产品和服务，但预计未来几年内这一情况不会发生。

几乎所有参与我们调研的银行都意识到需要改良产品和服务，增加新的增值服务。同时这些银行也在努力简化核心产品组合（见图3）。

图3

多数银行看到了对新增值服务的需求

银行产品和服务将发生怎样的变化

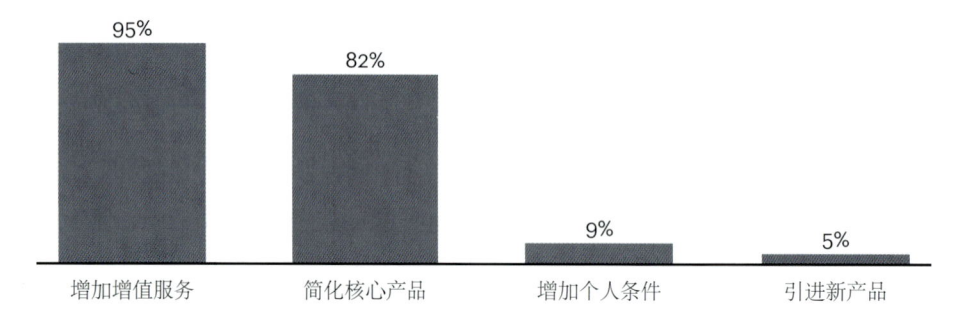

- 增加增值服务：95%
- 简化核心产品：82%
- 增加个人条件：9%
- 引进新产品：5%

来源：科尔尼和Efma全球零售银行业研究。

超过80%的银行目前正在重新审视其复杂的产品组合，积极促进产品系列的合理化，涉及的产品从较复杂的贷款产品到简单的存款产品。例如某荷兰银行将原有的20多种储蓄产品减少为3种。新加坡银行OCBC定制了完全针对学生的产品和服务。OCBC推出的FRANK品牌推出了一款简单的产品组合，只包括三种产品——定制化信用卡和借记卡、储蓄账户和学费贷款。

360°银行服务：实现一致的渠道体验

除了提升产品和服务，另一个重点是实现各渠道体验的一致性。传统的网点服务模式正逐步被一体化的渠道方法所取代，顾客可以通过各种渠道享受无缝式银行服务，如在网点发起交易，而通过手机应用完成交易。据西班牙某银行的一位高管说，"我们计划采用虚拟关系经理模式，预计能在250多项预设活动中与客户全程互动。"在世界各地，银行网点概念正在重塑——郊区统一的网点转型成为更多采用自助服务的网点，市中心的专业咨询中心被旗舰展示中心取代。例如，OCBC的FRANK的网点看上去更像零售店，为客户提供时尚流行的环境，供客户浏览产品、咨询问题。随着这一趋势的发展，预计银行的网点密度将有所下降，但不会大幅下降，因为大多数网点将以新的方式提供服务。

拥有多个销售和服务渠道变得越来越重要，因为购买地点决策已经转移到上游。在客户考虑做出购买决策时银行需要提供建议并推荐产品——而现在很多客户在去网点前就已经做出了决定。这就要求银行重新思考咨询的概念。网点咨询无法与数字化渠道竞争，因为数字化渠道承诺随时随地提供服务。由于无论工作日还是周末，客户大多数情况下在晚上9:00~11:00查询服务和办理业务，因此没有比通过数字化渠道提供咨询更合适的渠道了。

另外，客户在做出决定前喜欢了解同伴的意见。他们不再相信网点顾问的一家之言，会根据从博客、社交网络和公共反馈论坛了解的信息对顾问的建议提出质疑。这一趋势不仅发生在银行业：皮尤研究中心（Pew Research Center）的报告显示，4/5的网友在网上搜索健康资讯，是网上普及度第三的活动（仅次于电子邮箱和搜索引擎）。过去对数字化的信任问题似乎已经消失。实际上，数字化渠道现已不断挑战实体业务的信誉。

虽然仍有银行坚信优质网点咨询的神话，但其他银行已经开始把握数字化趋势，采用混合的咨询模式。对于一般的咨询需求，他们积极实现客户满意度的透明性，通过门户网站、专业搜索工具、社交网络和点对点聊天功能提供相关咨询建议。而对于个性化的咨询需求，可在正常营业时间外使用聊天功能在线与员工沟通，或提供除网点核心产品和服务以外的海外专家视频咨询。这能够增加银行与客户的互动，同时也不需要客户一定要到网点才行。然而，找到虚拟咨询和现场咨询之间的平衡点非常重要。例如，有些银行不愿意采用聊天功能，因为会造成投资回报信息的缺失。但是领先银行则不断接受新的理念，提供24小时的咨询服务，包括个性化的现场咨询和基于集体智慧原则的同行推荐（见图4）。

全渠道整合为银行带来重大挑战，很大程度上是因为在他们的遗留环境中，流程和IT体系是孤立的。因此部分银行现在选择新建的方法，建立新的数字银行实体，引进快速流程、一体化系统和敏捷的组织结构。传统银行采取这种方法的例子有：Axa银行的Soon手机应用，BNP Paribas的数字Hello bank，以及Bancorp与全电子化银行Simple的联盟。很多新的公司也进入了数字银行领域，如美国的MovenBank、荷兰的Knab、波兰的Alior银行、德国的Fidor银行。这些数字银行承诺提供新的客户体验：更快的处理速度、更便利、随时随地可用。他们利用社交网络、手机银行和客户

图4
银行利用数字化手段提供咨询服务

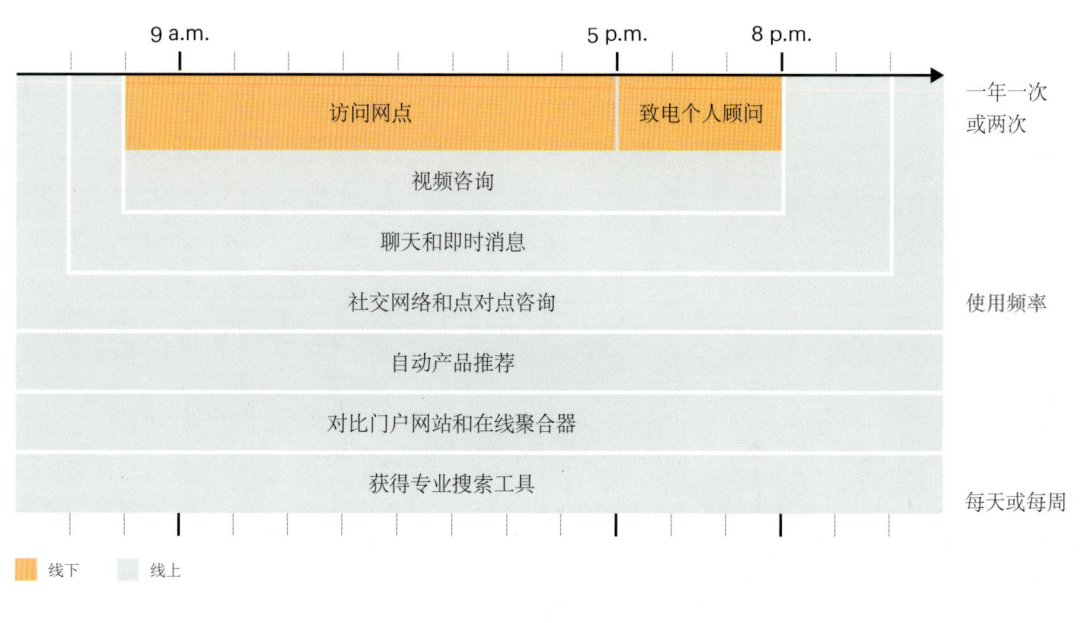

来源：科尔尼分析。

洞察，以更好地满足顾客需求（见图5）。进步意味着选择最佳发展路线：利用现有结构和经验丰富的组织进一步发展数字化主张，或采取具备简洁流程和组织的全新方式。这两种方法都是可行的，但面临的风险和机遇有所不同。

图5
MovenBank的业务模式挑战传统零售银行的方方面面　　　　　　　　　　　　　　　　　　示例

虚拟产品和服务	客户体验	网上和手机渠道
• 没有ATM，借记卡或者信用卡 • 一目了然的存贷款产品和服务 • 或可在配备NFC功能的零售商处存取现金	• 利用电脑游戏元素**重构银行业**，让它充满乐趣 • 利用用户体验定位擅长数字技术的顾客	• 没有传统的银行渠道（如网点和ATM） • 手机应用和在线账户服务（利用NFC技术使手机成为支付设备）

社交媒体	客户洞察
• 注册Facebook或Twitter账号 • 评价顾客**社会行为**，评估定价和风险决策 • 顾客推荐**MovenBank**将获得奖励	• 行为调查问卷，通过顾客行为（支出模式和余额）不断更新 • 利用行为资料帮助顾客实现**财务目标**（如储蓄），评估信用产品的风险

注：NFC是指近场通信。
来源：MovenBank；科尔尼分析。

为漫长历程做好准备

数字化历程尚未发生颠覆性变化。目前的变化包括：产品和服务组合得以强化，过程与流程自动化或由工作流支持，各渠道之间实现了信息和数据共享、网点进行了重新设计和精简。虽然这些变化的代价很高，但要通过数字化实现全新的银行体验还需要做出更多改变。

迎接巨大变化

数字化银行的旅程才刚刚开始。目前市场上只有一些小的改变，如应用套件、视频咨询和PFM工具等（见图6）。然而改变游戏规则的大变化尚未出现，如组织和工作文化的重建，但是这只是时间问

图6
数字银行的服务范围目前仍然较小

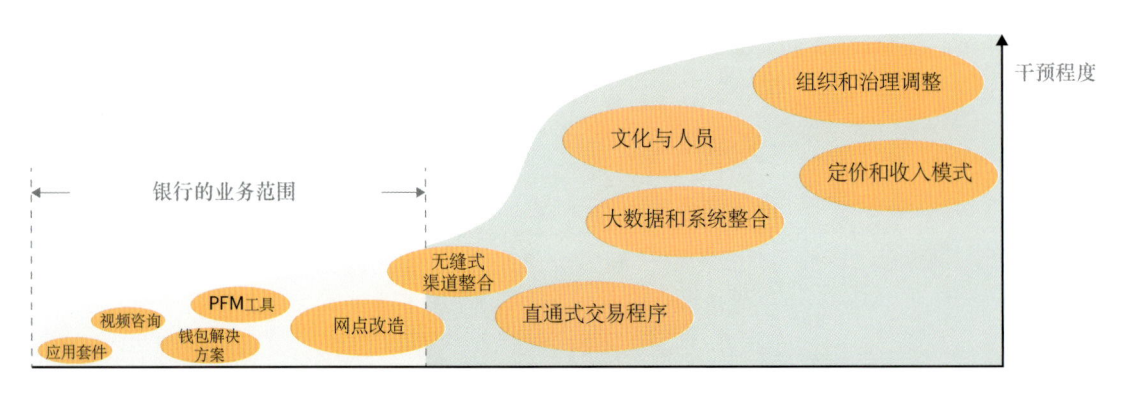

注：PFM是指个人财务管理。
来源：科尔尼分析。

题——它们将彻底改变整个行业。这也意味着要摒弃传统，客户不再属于哪个网点、IT技术推动业务发展、引入新的收入和定价结构。这些听起来具有颠覆性的转变将为银行创造机会获得有价值的回报——顾客满意。

令人高兴的是，目前尚不敏捷的市场发生了快速的变化。因为新的银行体验将令人更加愉悦，下一代客户将重新考虑他们现有的选择，追随潮流，就像手机用户放弃诺基亚，转向苹果iPhone和采用谷歌供电模式的三星设备。成为市场先驱对于维持市场地位极其重要。

超越全渠道：开展流程和平台的垂直整合

谈及数字化银行，大家很快便将讨论的焦点聚集在能够为客户提供无缝式体验的一体化的多渠道或全渠道服务或产品供应。为了解决这一挑战，银行实施了很多举措和项目，但要实现直通式的处理程序（STP），银行还有很长的路要走。目前的解决方案能够让现有客户通过数字化渠道开通新的存款账户，或"一键贷款"。例如，韩国韩亚金融集团（HANA Financial Group）有一款抵押贷款产品可以完全在线办理，从申请到办理只需五步，不仅降低了银行方面的复杂性，还可以使客户更快、更轻松地获取贷款。该业务听起来很先进，而采用此业务的银行很少——在世界银行业中所占比例可能还不到10%。

另外，这种直通式处理程序仅适用于为既有客户提供的简单产品。如果业务请求来自新客户，或者涉及更加复杂的产品，则需要漫长的人工处理过程。此外，新客户的业务请求还受到立法障碍的限制。但是活力十足的金融技术领域，特别是灵活支付领域正在开发远程身份验证能力。

要全面实现垂直整合，还必须解决组织结构和治理问题。自引进数字化银行以来，这方面仅进行了少量调整。虽然所有银行都了解多渠道整合和信息无缝式传播的重要性，但他们都没相应调整自己的内部结构和治理机制。例如，盈亏的责任仍然主要由各支行网点承担（见图7）。一家加拿大银行高管说，"我们的网点享有很大的权限和自主权，而且网点在线交易盈亏所采用的内部退回机制并不能激励数字化运营模式的发展"。另外，内部指导和成本分摊机制大多都已过时，无法让客户顺利转换渠道。

除了治理结构和指导方法调整外，银行还需重新组织传统的渠道、产品和客户细分方法，解除现有的孤立状况。例如，IT仍然不属于业务的一部分，一般都要求IT部门执行客户解决方案，而非开发解决方案。产品管理方面也存在孤立现象，该领域有专门的团队设计解决方案或定义产品组目标，但这些目标可能不符合客户或IT预期。数字化银行业的发展要求对现有结构有全面的认识。

图7
银行网点仍为盈亏负主要责任

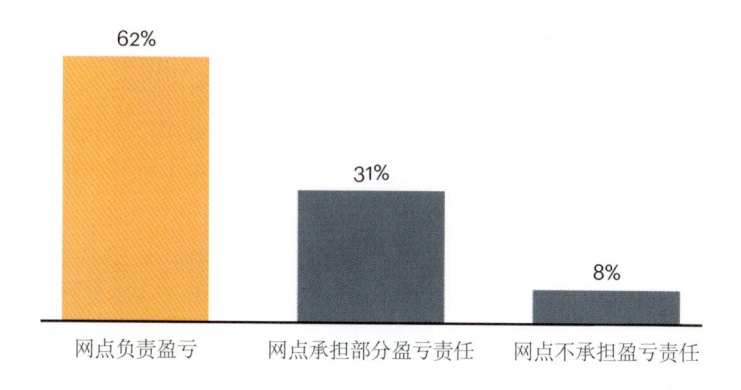

- 网点负责盈亏：62%
- 网点承担部分盈亏责任：31%
- 网点不承担盈亏责任：8%

注：由于四舍五入，百分比相加不等于100%。
来源：Efma。

超越精益化——后台能力更具战略意义

银行将大量精力放在客户身上,而忽略了数字化对后台的重大影响。一体化的客户管理、联合决策和直通式处理方式基本上都需要更加集中的模式,这对人员和技术都是新的挑战。例如,由于信息和交易管理更加集中,产品建议将通过机器或中央知识库生成,所以后台能力将变得非常重要。为了跟上产品和服务,后台员工需要具备高效的技能,同时能够了解客户并形成相应的解决方案。

另一个问题是遗留IT系统。世界各地的银行都已投入大量资金整合后台系统(很多银行目前仍在整合)和前台系统,但下一轮的调整即将到来。采用大数据提高客户关系管理(CRM)能力的迫切需求为数据质量和治理带来巨大压力,需要大幅提升系统性能,但目前只有1/4的银行近期有大数据项目计划(见图8)。包括内存处理在内的最新技术将能把大型、灵活的IT环境转变为更快、更敏捷的环境,这种情况下,数据分析将对成功起到关键性作用。

图8
仅1/4的银行近期制订了大数据项目计划

已计划的大数据项目

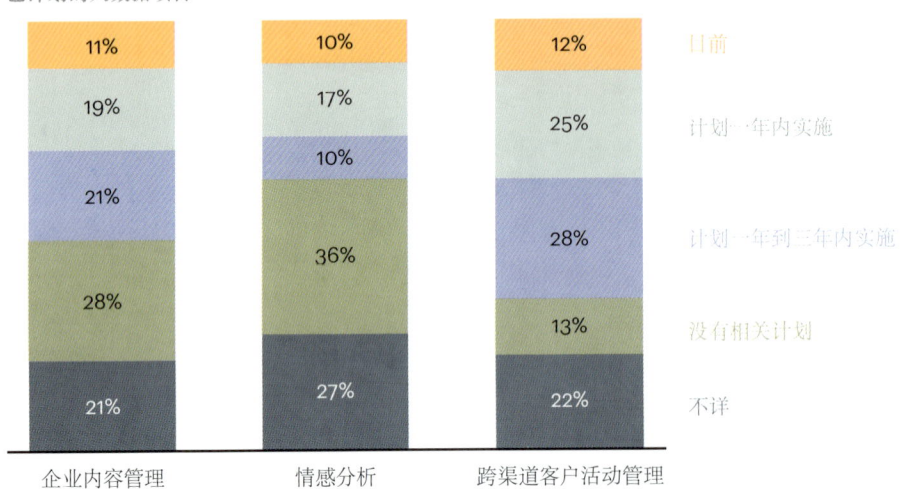

	企业内容管理	情感分析	跨渠道客户活动管理
目前	11%	10%	12%
计划一年内实施	19%	17%	25%
	21%	10%	
计划一年到三年内实施	28%	36%	28%
没有相关计划			13%
不详	21%	27%	22%

来源:Efma。

超越银行业:价值链分解和新收入模式

随着数字化的发展,另一轮价值链分解或将到来。价值链对更加复杂的元素的需求,如管理客户洞察和缩小与行业领导者的能力差距将为市场新进入者开启大门。大型IT供应商和利基型金融技术企业正通过创新的解决方案进入市场。如果客户一旦适应了他们的服务方式,银行就需要通过形成自己的内部能力(是一个漫长且昂贵的过程)或与新型服务供应商合作加以应对。

一种可能的情况是,价值链分解可能从了解客户的(KYC)的服务开始。因为在了解客户的服务中,更为先进的银行通过银行交易和社交网络、数字足迹和购物偏好等各种来源深入认识客户,更好地了解客户需求,并相应调整客户关系管理的行为。另一种合乎逻辑的情景是风险评分活动,由客户关系管理供应商提供见解,以便更好地了解和客户相关的风险。这种情况可从根本上分离核心银行业务,如将产品开发分给了解客户偏好和相关风险的外部服务提供者,从而减少处理纯交易的银行——这是一个高度管制的领域,对非银行机构来说吸引力较小。尽管这一情景似乎离我们很遥远,而且存在很多问题,但它很早就突出了构建恰当能力的重要性,朝着最渴望的结果而努力,而不是等待其他竞争者先迈出第一步。

北欧和美国的众多银行正在仔细分析各项流程和整条价值链，确定哪些银行将掌管客户，哪些将成为单纯的产品供应商。

在世界范围内，银行和非银行机构都在寻找新的解决方案和价值主张，从而更好地服务客户。最普遍讨论的情景就是电信公司和谷歌、亚马逊等大型企业开始提供银行服务，这种情况可能会颠覆银行业发展。但立法和监管规定仍然限制快速发展的公司，使其无法完全进入银行市场，因此银行与这些公司紧密合作。例如，谷歌可以提供深入的客户信息及管理需求，而银行则转向后台，成为产品供应商和处理单位。

预计产品和服务组合以及收入模式等方面也将出现颠覆性的改变。银行在不断努力从新产品种类和具体产品，以及服务角度实现核心产品组合的合理化，同时由于技术使客户请求变得更加方便、个性化和透明，增值服务的数量也将大幅增加（见图9）。

图9
核心银行产品将简化，但增值服务将增加

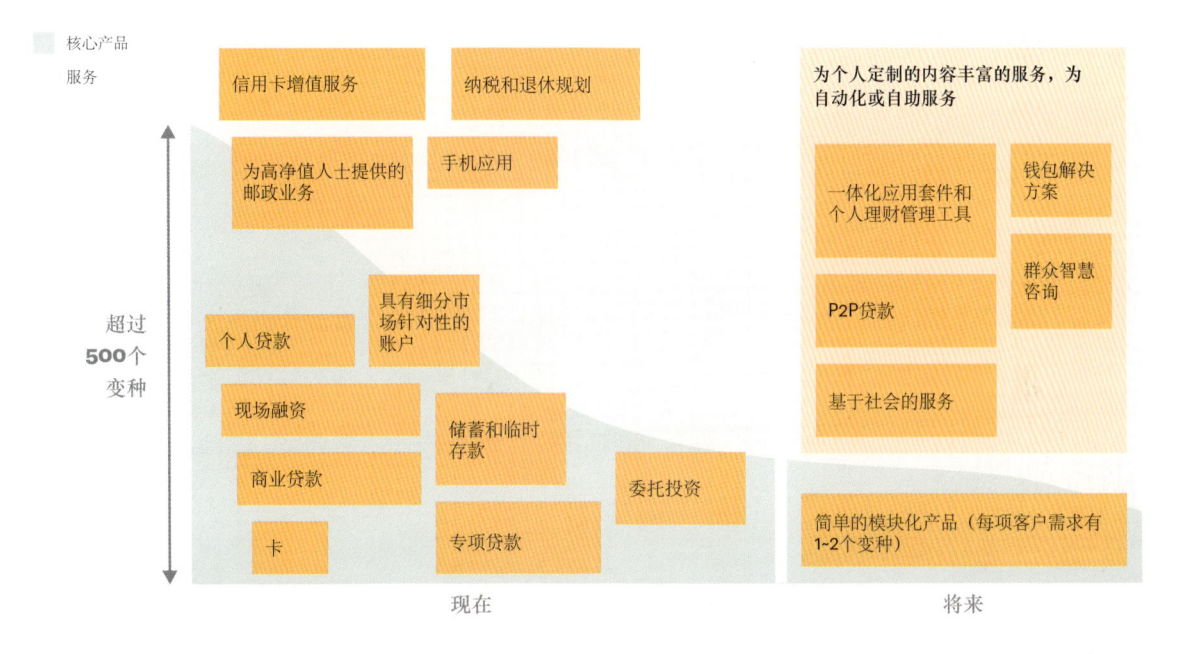

来源：科尔尼分析。

这一趋势将彻底改变现有的业务模式。银行将能够更广泛、更高效地服务，并以自动化或自主化的方式、甚至由第三方提供这些服务。它将创造新的收入来源。增强型服务将采用混合定价模式，部分服务由客户支付，部分由希望获得银行客户的供应商支付，这样一来就会产生广告收入（参阅：澳大利亚银行使用支出工具创造新的收入）。

澳大利亚银行使用支出工具创造新的收入

澳大利亚国家银行旗下机构UBank推出了一个为客户提供个人理财的管理工具，倡导银行新价值主张的互动网站。

用户可以使用PeopleLikeU将自己的消费习惯与同龄人群以及国家平均水平进行对比。通过明确列出每一项具体的开支的类别，使用者可以看到支出金额和种类，如食物、旅行、购物、家庭支出和娱乐等。

这项服务不仅让顾客深入了解自己的消费习惯，也通过让第三方在网站上做广告，推荐自己的产品，从而为银行带来了新的创收机会。

数字化时代的银行业发展　77

此外，收入和定价模式也将有所改变。银行长期依赖于客户对产品和服务缺乏了解的局面，导致越复杂的产品利润率往往越高。然而，数字化银行可以使产品和服务更透明，使其价格和表现更具可比性。因此，银行将相应调整定价模式，在这一过程中，不合理的费用将取消。

超越机器设备：文化挑战

文化和人的挑战是最大的挑战之一。从传统银行转型为以客户为中心的、创新的、高效的金融服务者被视为主要问题。正如一位意大利银行高管所说，"这里没有像史蒂芬·乔布斯一样的人物可以让我们效仿"，"在传统银行，你需要可靠的商业案例和股东120%的支持"。因此，最好的入手点可能是解决对创新和新观念的态度问题。"我们的传统银行文化妨碍了我们真正的创新"，一位澳大利亚银行高管说，"所以，我们成立了由银行家和非银行业者组成的外部智囊团，设计和决定新的产品和服务"。

反复尝试也许不适合保守的银行业，但却是快速发展的数字化时代的必要手段，因为先发优势远比完美无瑕的商业方案有价值。一名德国银行高管表示："我们需要做出两个重大变革，一是在银行业中使用反复尝试的方法，二是承认有时候机器是更好的推销员。"

另一个挑战是如何让员工接受数字化来提高效率和效能。到现在为止，他们没有得到激励。事实上，有些员工认为这会让他们工作不保，并且开始抵制。一名西班牙银行高管说，"问题是分行网点的员工仍将数字化视为对他们工作的威胁，而不是欢迎这种更好地服务顾客的机会"。两种做法能够为数字化铺路：第一，设立能够加快创新速度的新决策层；第二，获得更大的员工支持。

地区差异

全世界的银行都在向数字化迈进。虽然步伐并不一致，但从美国到欧洲再到亚太地区，各大银行都在积极推动向数字化发展。然而，地区环境决定了每个国家对数字化的准备参差不齐。

本研究揭示了各个市场在数字化准备方面的地区差异，并展示了银行采取的不同方法。为了让研究更加全面，我们通过深入研究全球27个国家的银行业水平、市场动态、顾客准备度和监管因素（参阅：关于本研究）来比较各国的准备程度。

关于本研究

本研究分析了全球范围内银行业数字化的影响。我们对全球领先的零售银行开展了约50次深度访谈，更好地了解了这些银行开展数字化的方式和动机（见图10）。访谈的重点是数字化对产品和服务、组织结构、文化和运营以及信息技术的影响。

本研究同时也包含了Efma和科尔尼对数字化准备度的研究，以及全球银行业数字化的最佳做法与案例。

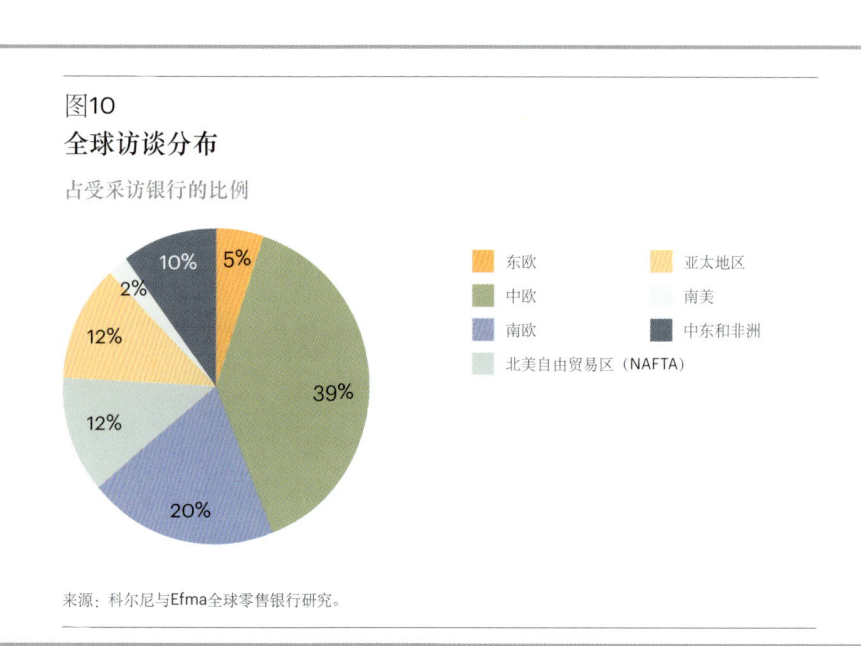

图10
全球访谈分布

占受采访银行的比例

- 东欧 5%
- 中欧 39%
- 南欧 20%
- 北美自由贸易区（NAFTA）12%
- 亚太地区 12%
- 南美 2%
- 中东和非洲 10%

来源：科尔尼与Efma全球零售银行研究。

通过采访领先银行高管和市场调查，我们得出了银行业数字化的热点。最为成熟的国家包括英国、新加坡、丹麦、瑞典、荷兰、美国和澳大利亚（见图11）。这些国家眼光长远，环境良好，无论是在有发言权的顾客、先进的银行业或是精于金融技术的科技市场等方面都表现更优。

荷兰、澳大利亚和新加坡银行业发达，这些银行拥有先进的数字化服务、雄厚的经济实力和完善的数字化架构。与之相比，英国市场富有活力，拥有充满吸引力的金融业；其技术导向型的公司在不断地催生出新的银行业解决方案。

图11
银行业数字化准备度

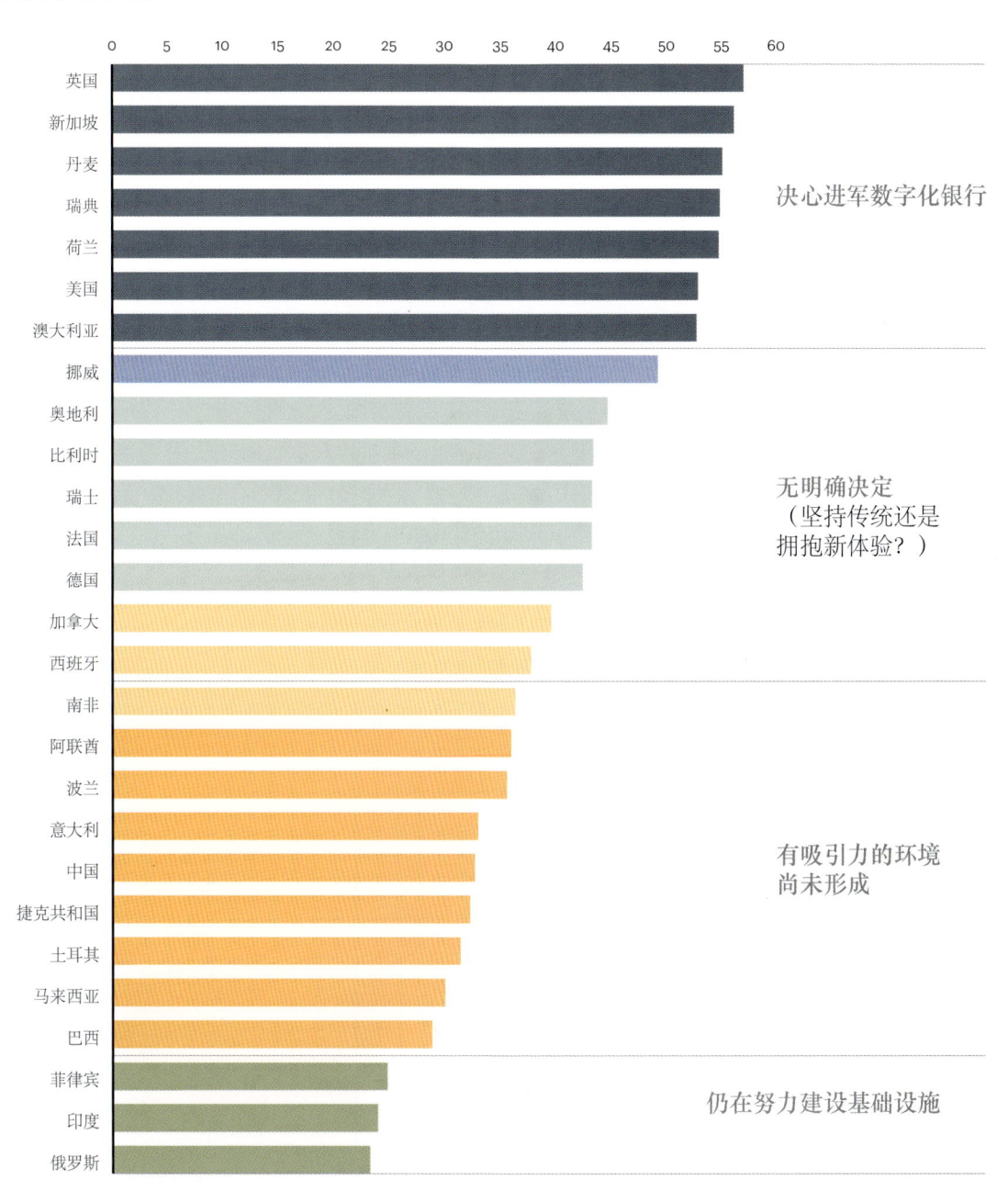

国家	数值	分类
英国	~57	决心进军数字化银行
新加坡	~56	
丹麦	~55	
瑞典	~54	
荷兰	~54	
美国	~53	
澳大利亚	~52	
挪威	~49	
奥地利	~45	无明确决定（坚持传统还是拥抱新体验？）
比利时	~44	
瑞士	~43	
法国	~43	
德国	~42	
加拿大	~39	有吸引力的环境尚未形成
西班牙	~38	
南非	~36	
阿联酋	~35	
波兰	~35	
意大利	~33	
中国	~33	
捷克共和国	~32	
土耳其	~31	
马来西亚	~30	
巴西	~29	
菲律宾	~25	仍在努力建设基础设施
印度	~24	
俄罗斯	~23	

来源：科尔尼与Efma全球零售银行研究。

从顾客的角度来看，新加坡、瑞典和丹麦走在前列，因为它们拥有大量的"数字原住民"、极高的智能手机普及率，以及普遍的网上消费行为（见图12）。

欧洲范围内，准备度呈现出有趣的差异性。在某些地区，银行正在积极推行数字化，但也有一些方面却没有还跟上步伐。例如西班牙银行业的数字化服务已经非常先进，但是顾客和监管环境却远远落在后面。

特别是波兰和捷克共和国，一些银行正在积极推动数字化并取得了进展。顾客欢迎这种趋势，并开始使用新推出的服务，如手机银行和众筹服务。但是总体来说，规模仍然很小。俄罗斯银行并不看好数字化，而是更关注巩固现有平台，使其更为合理。

西欧国家——德国、法国、瑞士和奥地利等尚未完全准备好。银行正在研究数字化的方案，但是还没有迈出改变的步伐，只有少数银行推出了比较大胆的产品，比如巴黎国民银行的Hello bank!和Axa's Soon。在这一地区，分行网点仍然占据重要地位，因为老年人想法还是比较传统的。

图12
银行业数字化准备度领先的国家

来源：科尔尼与Efma全球零售银行研究。

北美正在经历数字化的大爆炸和创新，特别是在手机银行和支付领域。然而，在加拿大和美国，固有的技术环境和孤立的组织结构阻碍了银行将数字创新成果从实验室推广到市场。当许多银行还在苦苦思索如何改进昂贵陈旧的分行网点的时候，像USAA这样的领先者正在不断地将数字创新成果融入他们的标准流程和商业文化中。

南欧与中东也对数字化进行积极的探索，在提高客户关系管理能力和高附加值服务方面加大了投资。尽管如此，这些地方的环境仍然准备不足，因为经济危机和人民缺乏信任限制了发展。总之，从欧洲到中东，数字化准备度由北至南依次降低。

然而，对银行业数字化感兴趣并不代表准备充分。准备度取决于整个银行业环境、技术发展、竞争挑战、顾客需求和监管。我们的数字化银行准备度指数（DiBRix）评估了27个国家的情况，主要考察以下四个方面：银行能力、市场动态、顾客行为和监管环境。我们采用了30多个指标来计算得出一个地区对数字化银行的准备度指数。

虽然上述的四个方面均会影响一个国家的准备度，但是其中还是有一些比较敏感的变量。比如，若一个国家的银行业高度集中——前五大银行占据了市场份额的70%，一旦其中一家领先银行决定走向数字化，其他银行必须迅速赶上，否则就有失去势头的风险。对顾客准备度来说也是如此。比如，人口较为年轻化、对手机或社交网络接受度更高的国家就可以彻底改变整个市场格局。以阿拉伯联合酋长国为例，该地区人口较为年轻，平均年龄在30岁左右；智能手机覆盖率达到60%以上，上网极为便利，电子商务增长迅速，而且顾客非常热衷于社交网络。虽然银行在尝试推行数字化解决方案，并不断努力加强核心业务的数字化程度，市场活跃度仍然较低。一旦这些市场取得一些突破性的创新进展，银行数字化的时代将很快到来。

澳大利亚则是另一番景象。从银行方面来看，网上银行和移动银行渗透率很高，新鲜、有创意的解决方案层出不穷，财务状况稳健，以及存在以数字化为导向的银行结构；相比之下，顾客和市场还没有准备好。然而，由于亚太地区的顾客对新趋势适应很快，市场也会很快活跃起来，这一情况会很快扭转。

在荷兰，主要银行是推动数字化的中坚力量。荷兰领先的银行共同推动NFC（近场通信）手机支付的发展就是一个例子。新的解决方案——例如Rabobank推出的MyOrder——可以使中小企业在不需要进行太多基础建设投资的情况下就可以进入移动支付空间。

在各个不同类别中，准备度也各不相同。在瑞士，从顾客行为和银行能力的比较中可以看出，顾客比银行本身对数字化银行业务的准备度更高。顾客在设备和想法方面都已经对数字化做好了准备（智能手机占有量已经达到30%以上，多达75%的人使用社交网络），而银行却仍旧依赖非数字的架构（基于对分支网点的使用以及绩效指标）。瑞士金融业深具吸引力，而且相对集中（前五大银行占据75%市场份额），这里很快就会成为掌握先进技术的银行的必争之地。同样可能的是，若一家领先银行决定迈出走向数字化的重要步伐，其他银行也会不甘落后，迎头赶上。

前景展望与行动方案

向数字化银行进军不仅关乎方式，而且关乎时机。过去，过于急进的做法几乎都以无法收回成本告终。为了避免这种结局，必须了解并预测整个市场的趋势。

关注改善领域

有两个做法可以帮助银行在数字化方面表现得更加出类拔萃：对外使用优秀的产品和服务、迅速高效的互动和处理，以及卓越的性价比，提高顾客满意度；对内则统一内部构架、精简IT和流程并寻找适当的收益模式。

在外部，对标最佳做法可以帮助你在明确市场定位的同时，在价值链上寻找潜在的合作伙伴。这些最佳做法可能来自竞争力强劲的大银行，或者是锐意创新的行业新参与者。

在内部，结构、流程和IT的优化涉及多个举措，从产品批准、流程、IT协调和组织的统一，直到新的治理机制和新的企业文化。定义目标可以是一个好的开始。你的处理速度、STP比率、决策流程、组织效率、产品定价和赢利能力在业内处于什么位置？在这些方面对比行业最佳做法也是值得推荐的，特别是要把目光放到传统银行之外。业内使用最佳做法的领先银行有怎样的要求？直销银行准备如何？（参阅：直销银行也可能成为赢家）

通过对标后得出的所有洞察都可用来制定数字化银行改革的目标和路线图。

寻找合适时机

若要在数字化之路上领先，时机是关键。过去，急于推行数字化的银行或遭受尚未准备好的顾客的抵制，或在市场上遇挫，因为市场对将热门概念转变成真正的趋势缺乏支持。想在合适的时机迈出正确步伐，对数字化环境的深入理解对预测不可或缺。

我们推出的数字化银行准备度指数（DiBRix）在显示各地区总体准备度的同时，也对上述四个方面有着细致入微的考察，能够帮助了解整体环境并明确优先步骤。在数字化准备度高的先进环境与那些顾客没有做好充分准备，监管者也无意推动数字化的地区，所谓的正确做法是截然不同的。

以下三种情况阐释了如何使用这一指数来制订最佳数字化路线图（见图13）。

图13
数字化银行准备度的不同情况

来源：科尔尼分析。

直销银行也可能成为赢家

直销银行近来似乎显得很平静。经济危机以及随后的超低利率对原有的商业模型造成了压力。随着越来越多的银行减少实体业务，而新的数字化运营商试图进入银行业务和支付市场，直销银行的竞争优势正在消失。

尽管面临这些问题，直销银行仍可能在这个充满活力的市场上取得成功。传统银行在更新它们的组织、文化、运营能力和IT能力上仍有很长的路要走，这样才能满足新的数字银行体验的要求——然而直销银行已经建立了快速高效的结构。

领先的直销银行将增强客户对新服务的体验作为重点，这些新服务包括个人理财工具、销售网点钱包解决方案和基于一对一或者集体智慧原则的数字顾问概念。这比改变整个组织架构（包括改变分行网点的治理和文化）容易得多，因此传统银行将处于劣势。

相比非银行机构，如凭借钱包应用涉足银行市场的谷歌，直销银行对传统银行的威胁更大，而且银行业严格的监管仍是零售公司进入这个行业的巨大障碍。

Sprint

这些银行面对数字化银行模式仍裹足不前，但是市场竞争（非银行机构和金融技术提供商）和顾客已准备充分。监管方面没有明确态度，这对银行有利，但仍不能过度乐观。若市场中存在催化因素，如人口较为年轻且智能手机渗透率高，或银行业较为集中，则局面会很快扭转。

行动方案：

- 聚焦对顾客较有影响的举措，包括提升产品质量、推出增值服务以及加快处理速度。
- 与非银行机构合作来跟上发展步伐。
- 扫除内部组织、决策和文化中阻碍数字化进程的障碍。

英国、美国、波兰、瑞士、奥地利和加拿大的许多银行正面临这样的局面。

Siesta

这些银行正在大力推动数字化。它们开发并引入了某些解决方案和服务模式，但是市场和顾客尚未准备好，外部环境支持仍然缺失。原因或许是点对点技术尚未完全成熟，顾客收入水平过低，或政治环境不够稳定，因此最佳做法可能是放慢步伐，静待时机。

行动方案：

- 关注内部提升：调整市场目标定位（STP），探索怎样真正为顾客带来满足感，以及统一组织和治理。
- 催化市场趋势：考虑为金融技术初创企业提供资金支持，帮助它们进入市场。

意大利、南非和阿拉伯联合酋长国的一些银行属于此范畴。

Marathon

这些银行在数字化准备度上较为落后，可能的原因是旧有结构不易改变或金融业不稳定，但发展缓慢的外部环境也难辞其咎，因为这里的顾客更亲睐传统的银行网点，或者市场对数字化反应冷淡。

行动方案：

- 开展统一且循序渐进的数字化转型。
- 专注于清理遗留系统，侧重于内部环节，比如组织、IT、流程和文化等。

德国、法国和西班牙的一些银行属于此范畴。

前景展望

毋庸置疑，银行会越来越数字化，这只是时间问题。在顾客、竞争者，甚至监管机构的共同推动之下，最终我们会看到传统的网点银行、不提供不必要业务的直销银行以及创新金融技术的非银行机构从四面八方不断涌现，为顾客提供透明、便捷、随时随地的银行服务。但是判断哪些机构会领先实为不易。

对于那些历史悠久的传统银行，至关重要的是扫除种种内部障碍，建立迅速有效的决策和处理流程，基于改善后的治理机制和以顾客为中心的渠道管理，以及敏捷、高效的IT部门。但是文化障碍可能更难克服：许多领域都需要新的理念。这些银行应该充分利用更快更好的创新、公平透明的产品和服务，以及新的收入来源。

直销银行所面临的挑战是扭转自己的形象：从主要依靠自助服务的低端供应商转变为提供丰富、便利、高顾客满意度的产品和服务的高价值银行。在一些情况下，重塑品牌可能是必要之举，如ING Direct转型成为Capital One 360°。

随着非银行和其他金融技术提供商加入市场，我们一定会见到更多银行和创新公司合作的例子。这些合作会加速数字化的进程，因为它们能够以吸引人的方式来改善顾客体验。银行业会包括更加丰富、涵盖多方的服务，并创造无缝式的顾客体验。这最终会使银行业务变得方便、快捷并能够主动地满足顾客需求——与今天被动且不够透明的商业模型形成鲜明对比。

眼光长远的银行会审慎思考时机和行动方式，密切关注当地的银行业面貌，并了解前进道路上最不易克服的内部阻力。银行业数字化的最大障碍是组织灵活性不足，还是不够以顾客为中心，抑或是IT能力不足？

银行业只有在竞争激烈的市场和客户期待的大背景中考量以上种种因素，方能够找到数字化改革的前进方向。

作者

Torsten Eistert，科尔尼全球合伙人，常驻斯图加特办事处
电子邮箱：torsten.eistert@atkearney.com

Fergus Gorden，科尔尼全球合伙人，常驻纽约办事处
电子邮箱：fergus.gorden@atkearney.com

James Deighton，科尔尼全球合伙人，常驻墨尔本办事处
电子邮箱：james.deighton@atkearney.com

Mathias Ullrich，科尔尼顾问，常驻法兰克福办事处
电子邮箱：mathias.ullrich@atkearney.com

Stefan Marcu，科尔尼顾问，常驻华沙办事处
电子邮箱：stefan.marcu@atkearney.com

作者感谢全球各地的银行业人士分享的宝贵见解。作者同时也向Marta Szostak，Christoph Basner，Manual Garcia Ramos，Jan-Wouter Bloos和Max Bocchini等同事为本文的撰写提供的帮助表示感谢。

ATKearney

驾驭制造业颠覆性变革浪潮——严阵以待：应对制造业发展六大趋势

从亚当·斯密的劳动分工理论到工业革命，再到20世纪90年代高科技的繁荣发展，制造业随着一波波变革浪潮而不断演变。

最新一波的变革浪潮方兴未艾，此时21世纪的制造商们面临重大决策，这些决策可能会创造机遇，或带来竞争挑战——重要性堪比伊莱·惠特尼提出的可互换零件概念或是丰田公司对亨利·福特装配线的改造。如今，新的颠覆性因素比如3D打印等新科技的潜在影响、全球供应链的固有风险、数据的指数式增长，以及日新月异的人口社会经济结构等，不一而足。

正因如此，制造业的未来发展趋势再度成为公众讨论和董事会议程的热门话题。公司正努力寻找独特的竞争优势或是应对未知的办法。如果制造商能准确预测这些趋势对业务的未来影响，例如未来的需求和工厂的大小、大数据对提高生产力的潜在作用、对劳动力的影响、自动化的程度等，那么他们就能将挑战变为赢利机遇，需要回答的问题如下：

- 哪些长期挑战会影响运营？
- 这些挑战将如何影响制造业的格局和竞争环境？
- 哪些解决方案或是最佳实践有助于应对这些挑战？

伴随颠覆性势力而来的是多方趋势的汇流。公司要想成功应对，则要如神话中的古罗马神杰纳斯一样能够瞻前顾后。这样说来，公司既要考虑经常对业务产生影响的熟悉领域，又要关注可能会对公司产生深远影响的陌生领域。首先，应从出现趋势的六个核心领域出发考虑问题。（见图1）

以下三个领域可能已被您列入日程：

- 技术进步。
- 提高生产力的新措施。
- 人才动态。

图1
制造业的六个核心领域：熟悉领域和盲点

来源：科尔尼分析。

另外三个领域可能处于外围：

- 全球化与区域化或本土化。
- 新供应链模型。
- 环境变化。

根据我们在这六个核心领域积累的工作经验，和我们从举办的全球卓越运营之年度最佳工厂比赛中获得的信息，科尔尼确定了对制造商影响最大的驱动因素或趋势。

如果制造商能准确预测这些趋势对业务的影响，那么他们就能将挑战变为赢利机遇。

在一系列有关制造业颠覆性变革的文章中，我们首先探讨出现在熟悉领域的三个趋势：新加工技术、提升精益化水平和劳工关系转变。之后我们会分析可能存在盲点的几项趋势：制造能力由西方至东方的迁移、端到端优化、升级环境的波动因素和风险[1]。

熟悉领域的三个趋势

1. 新加工技术将重塑传统工厂模式

新加工技术正以前所未有的速度不断涌现。其中诸如合作机器人和3D打印等技术已经开始颠覆多年未变的加工环境，这些技术具有让制造业发生根本变革的潜力，甚至可能取代传统的制造业运营方式[2]。

多年以来，防护栏将资本密集的机器人和人类员工分隔开，这不利于在更大领域发掘自动化潜力。目前，全球各地的自动化专家正在研究如何将机器人"放出牢笼"，充分发掘机器人和操作员加强合作的潜能[3]。未来的人机合作将结合人的敏捷性和智慧与机器人的耐久性与精确性，以更低成本解决问题。再加上简易便捷的程序支持，比如运动控制或语音控制，这种新型人机合作方式可能会显著提升生产力，对传统工厂模式产生深远影响。制造业正朝着这一方向发展。汽车制造商宝马和戴姆勒即将大规模引入合作型机器人，取代人工完成的总装活动。

3D打印也在打入市场：全球3D打印市场正以20%的年增速增长，预计到2025年将达到250亿至500亿美元[4]。传统制造商也逐渐意识到3D打印带来的机遇。通用电气公司大胆预想在未来的某天，人们可以打印出完整的飞机引擎。其他一些业界巨头诸如三星和佳能已经开始应用3D打印技术。无论是削减加工成本、缩短交货时间还是提高质量，都会产生巨大的潜在收益。以前所未有的规模、成本和交付时间进行增材制造和个性化产品定制的能力将打开全新的市场。即使在今天，3D打印技术在某些情况下生产小批量产品的能力已经超过了传统加工业。例如，伍斯特理工学院用这项新技术生产了一个医用植入设备，相比普通加工成本降低90%，生产速度增加七倍[5]。

全球3D打印市场正迅速增长，预计到2025年将达到250亿至500亿美元。

---

[1] 本系列后续文章将讨论六种其他趋势。
[2] 3D打印又被称作增材制造。
[3] 经济技术周刊，2013年9月7日。
[4] 沃勒斯合伙公司2013；科尔尼全球商业政策委员会。
[5] www.WPI.edu。

制造技术正朝着全新的方向前进，跟进这一步伐变得尤其重要。要想成功，公司必须定期积极关注技术前沿，设好定位，以便当机遇出现时抓住机会投资。公司应及时确认这些新的机会，并准确理解这些新技术的优势和风险。在准备迅速采用合适的技术之前，公司应对工厂是否有能力运用这些技术进行精确评估。最后，公司必须为测试和运用新技术制定清晰的路线图，这样便可迅速把握出现的机遇和需求。

2. 必须提升精益化水平才能在生产力竞争中获胜

丰田生产体系问世之初，《改变世界的机器》在20世纪90年代掀起热潮之后，各公司纷纷展开行动，减少工厂的浪费。最近减少浪费行动已延伸至后台职能部门。精益化已成为各公司在生产力竞争中创造优势的理念和工具。但精益化并不是对每家公司都有效的。成功的精益化公司可以每年提升高达10%的生产力，然而其他一些公司的收益只能勉强抵消工资的温和通胀。精益化普及了之后，问题是："接下来做什么？"

答案是双倍精益。第一，精益化的领域需变得更加精益，很多公司只将精益化运用到加工运营环节中的一小部分，因此，还有很大的发展空间。其次，已经全面推广精益化的公司应该跳出精益产品和精益系统的局限，将范围向加工环节外拓展。例如，将精益化拓展至投入要素和支持部门。（见图2）

塞佩造纸公司发现自然资源和能源等要素成本超过了劳动力成本。公司将重新制定注重资源利用率的加工方法，从而取得收益。至于从职能领域来讲，仅针对工厂采取种种改进措施是不够的，应该将精益化深入到与工厂相关的价值链职能部门，尤其应该关注生产支持和供应链管理部门。公司还需要重新审视孤立的组织部门之间的合作程度（也被称作协同能力），并且要多与供应商、客户和其他利益相关方协作，进一步提高生产力。

此外，索尼、飞利浦等消费电子产品公司面临的挑战是需要缩短产品上市时间，从而超过竞争对手。达到这一目的的一种方法就是利用第三方最大限度地增加运营灵活性，同时减少自有资产。这样便可使公司将重心放在控制供应链上。公司组织变得"近乎垂直"，就可超越自身的限制。

图2
超越传统精益制造，关注投入要素和职能部门

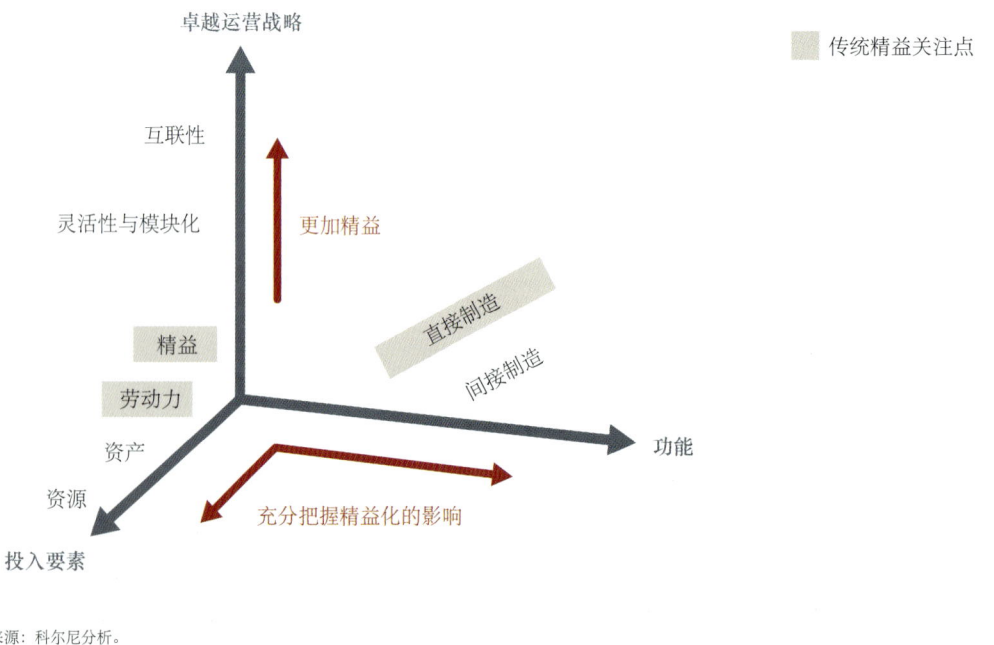

来源：科尔尼分析。

高效的个性化产品定制是提高生产力的另一因素。汽车以及耐用消费品行业的领先企业正通过关注灵活性来解决这一问题。例如，大众汽车在大规模生产中运用模块化产品平台实现产品多样化。制造商还引入模块化生产单元以便进一步提高成本效率。这些模块可以使工厂间交换产品组合，最大化设备利用率，重新获得生产力优势。当然，模块化的范围不应局限于产品线，而应向外拓展（例如，拓展至工厂的组织架构）。

所以，在进一步推进制造运营生产力时，公司应拓宽视野。重新回顾现有精益活动的范围和有效性，与公司内部职能部门和公司生态系统中的其他成员共同协作，寻找额外的可以提高生产力的机会。

3. 变动的劳动关系将增加公司管理的关系类型

尽管自动化程度不断提高，对于任何制造业运营环节来说，人力资源仍是最重要的资源之一。这一点便足以让公司更加重视与员工的互动。

不久之前，工会成员不断减少，对公司和政界的影响看似也逐渐降低。例如在英国，工会密度由1980年的50%骤减至2013年不到27%[6]。然而在今天，几乎世界各地的工人们都开始建立越来越多的各类社交网络和群体，以代表他们的利益，抵消上述趋势带来的影响。在中国，工人组织的政治和运营影响力也越来越大。即便是在一些西方国家中，由代表小团体利益的专业人员组成的工会数量也逐渐增多，并且成功发挥影响力。例如，过去几年间，德国汉莎航空公司曾多次面临不同利益群体的罢工，包括地勤人员、机组成员、机场保安和空中交通管制员工。相比过去公司只和大型工会交涉的现象，一种全新的、零散的格局正在出现。

> **寻找生产力前沿时，重新回顾现有精益活动的有效性和范围，以拓宽视野。**

这种不断发展的劳工关系正在挑战制造业格局。由于生产地点位于低成本国家，这种情况突然需要公司更加关注"人力资源"。在本国范围内，利益相关方的劳工关系格局正不断扩张。此外，国际工会网络正逐渐成形，世界范围内熟练工人的短缺迫使制造业高管重新思考如何处理劳工关系。

在战略层面和战术层面做好准备应对这一新形势是至关重要的。重新评估这些问题可能引发的风险，从而帮助公司确定新的弱点，为将来积极监控国内外厂址的变化提供基准。根据研究发现，公司可制定缓解风险的战略和应急计划，以重塑劳动关系。理想情况下，公司与员工及劳工代表可以形成更好的合作关系，培育真正的企业家精神。

确定外围盲点

在本文后半部分，我们将关注三种趋势。如果竞争对手比你更早预见到它们的重要性，那可能会给公司造成令人困扰的盲点。

1. 关注从西到东的势力转变

中国制造业的转型是值得制造业高层关注的另一趋势，并不只是在中国设有工厂的公司才需要关注。很多领先的西方企业都与中国建立了相互依赖关系，或将中国作为销售市场，或是生产站点，或是供应商来源。此外，中国公司在国际市场上的并购活动数目也显著增加。

中国地位的显著提高意味着中国内部的波动将会影响到全世界。中国是重要的制成品供应商，同时也是固定设备和消费品的消费大国。由于人工费不断增加（预计在未来每年增长10%到20%），它将

---

[6] Chris Wright，《未来的劳动关系中工会将起到什么作用》，英国咨询调解和仲裁局，2011年9月。

会失去成本最低国的地位。（然而相较西方国家而言，中国仍然具有显著的成本优势。）投资职业教育、培养未来潜在劳动力的掌握专业技能，这都有益于中国的制造业。人才流失率高也阻碍了高效流程的实施。

全面了解供应链中的变化和挑战至关重要。

不过，中国过去十年的发展速度表明今后也可能持续迅速增长。尽管步伐缓慢，中国加工制造业已经在从低技术、低生产力朝着高技术、高生产力转变，比如很多中国公司用自动化来弥补高人力成本带来的损失。一些顶尖中国企业雇用日本或德国的精益专家，将生产力提升了一个层次。实际上，我们预测，不断升高的人力成本会使中国的加工制造业在中期内更具竞争力。这种现象常见于专业生产电子消费品的代工厂，代表公司有纬创、仁宝、富士康，他们的生产网点已遍布中国各地。值得关注的是，中国制造业生产力提升的另一源头是管理和工程领域层次繁多带来的庞大的日常运营成本。

仔细观察各领军企业，比如汽车供应商，便可发现这一趋势已开始蔓延。科技含量低、劳动密集型的生产正转移至越南、孟加拉国等新的低成本国家。与此同时，由于中国具有优越的生产力和劳动力成本比例、市场重要性高而且免税交付，在这些因素的驱使之下，高端生产正从西方国家转移至中国，这将弥补前述趋势所产生的空缺。

生产力从西方向东方迁移，公司则需要从现在开始采取行动。首先要评估公司现有的网点战略和应对东方影响所需的生产力水平。

2. 从原材料到回收利用环节，实现真正的端到端的优化

当今的趋势是关注核心竞争力。因此制造商不断将众多职能部门移交给供应商和其他第三方机构。在此过程中，垂直一体化的程度以及制造环节的重要性都有所降低。例如在德国，汽车行业，特别是整车厂的垂直一体化程度下降了20%[7]。与此同时，公司对于自身制造成本结构的影响有所减弱。为了充分发挥制造潜能，公司要采用真正的端到端的视角来扩大优化范围，从原材料供应商扩大到终端消费者甚至是回收环节。

采用最佳实践的公司已经运用自己制造领域的技能来提升内部绩效和各层供应商业绩。这一趋势在汽车行业已深深扎根，他们推行了一些上游供应商和高技术个性化供应商改造项目。

甚至诸如Mondelez、博世公司、西门子家电等以市场为导向的企业也开展了一系列举措，希望能从增强成本竞争力、增加创新、提高交付能力和质量等方面获得高回报。此外，新型合作机遇也在不断涌现，从合营工厂和合营其他资产，到正式和非正式的最佳实践交流。我们还应关注下游优化活动的加强，其驱动因素是联合的制造业预测和规划、增值服务专员、利用顾客亲密关系来鼓励材料的回收。

问题的关键是要抓住端到端的优化机遇，让公司重新回归掌控地位，从而在整个流程中实现增值。毫无疑问，这一过程结果会重新凸显制造环节的重要性。

3. 认清可能对全球供应链带来挑战的风险和波动

由于全球化的推进和效率的提高，供应链在过去几十年中发展迅速。与此同时，供应链也面临多种更高的风险。自然灾害和经济震荡对全球供应链系统造成了巨大的财务和名誉损失，例如日本的海啸和核事故、欧元区经济不稳定和非洲市场的动荡及政局不稳定。

显然，如何缓解这些风险成了一个关键问题，制造业高管们需要保障供应链上游环节的物料流通。他们首先要做的第一步便是将公司的制造与供应链风险管理相结合。在动荡与风险升级的大环境

---

[7] BBDI（德国工业联合会）。

下,赢家将是那些充分认识到风险驱动因素、打造公司恢复能力和有效反应机制的公司。丰田汽车公司是最先引领这一战略趋势的公司之一。丰田公司近年来因多起灾难性事件遭遇的挫折已众所周知。正因准备好了风险管理方案,即便不能预测未来的供应链波动,公司也能确保他们有充分准备和合理的组织机制,任何灾难来袭都能在两周内恢复。

充分了解供应链体系中的变化和风险很重要,这些风险和变化不仅会出现在你的行业内,也会影响到客户和供应商所处的行业。一个上佳的首选方法是持续监控风险,在注意到早期风险信号后及时进行纠正。此外一个明智的方法是在不同职能部门间制定并协同缓解风险的行动。

走向未来:做好准备应对剧变

大家总认为加工制造业会一成不变。但当颠覆性的趋势撼动制造业格局时,最受关注的便是那些深谋远虑并制订针对性的战略来适应快速变化趋势的企业。恰当地区分制造业务六大核心领域中最相关的趋势并逐一进行评估是非常关键的,这有助于公司制定速见成效,又能带来长期优势的战略。

作者

Bernd Schmidt,科尔尼全球合伙人,常驻杜塞尔多夫办公室
电子邮箱:bernd.schmidt@atkearney.com

Patrick Van den Bossche,科尔尼全球合伙人,常驻华盛顿办公室
电子邮箱:patrick.van.den.bossche@atkearney.com

Marc Lakner,科尔尼董事,常驻柏林办公室
电子邮箱:marc.lakner@atkearney.com

作者对公司制造业未来趋势团队成员对本文的宝贵贡献致以诚挚的感谢。

ATKearney

浅析现金替代品之最后的门槛

电信公司、金融机构与支付系统的合作性竞争尚未创造出完全令人满意的现金替代品,即使在高度发达的市场也是如此。也许政府监管正是那剂缺失的催化剂。

虽然第一张通用信用卡问世已有65年之久，今天的多数交易仍以现金为主。作为名副其实的王者，现金的统治并未因其隐性成本而动摇——据专家估计，成熟经济体中的现金成本高达国民生产总值（GDP）的1%。而且，隐藏在实体经济表面之下的庞大影子经济体系也是依靠现金来逃避监管和税收的[1]。另外，某些产业，如ATM机制造商、贵重物品押运公司和配备武器的保安等，也都致力于现金的运输和管理。

由于中等收入国家的农村人口比例较大，POS机普及率较低，非现金支付尚未成气候[2]。在中低收入国家和低收入国家，现金的地位甚至更高，因为很多人尚未被纳入银行系统。事实上，我们分析的中低收入国家中，80%的交易是由现金完成的。即便如此，由于现金存储和运输的成本高昂，风险巨大，现金替代方案也在不断涌现：比如肯尼亚的Safaricom推出的手机转账系统M-PESA，类似的还有菲律宾的Globe推出的G-cash付款服务。

尽管进展颇多，但科技还没能创造出**完美的现金替代品**。

当然，高收入国家的情况截然不同，这些国家的金融业覆盖面广泛、银行系统高度成熟、监管环境稳定以及城市人口密集。然而即使在这些国家，现金交易仍旧占据30%~50%的份额，而且这个比例比日本和意大利等非高收入国家要高得多。

如果历史可以为鉴，预计未来中等或低收入国家会出现非现金交易的爆炸性增长，而高收入国家的增长则处于稳定阶段（见图1），仅呈现出小幅增长——尽管移动服务的激增以及技术的发展，包括能够使用近场通信功能（NFC）的智能手机的增加减少了对成本高昂的POS终端机的需求。实际上，现金替代很可能是有上限的；一个无现金化的世界要么会到来得相当缓慢，或者根本就是"不可能的任务"。

图1
由于高收入国家的渗透率较高，非现金支付服务未来增长会比较缓慢

非现金支付渗透率对比人均GDP与预期增长（2012年）

现金交易占总交易的比例（%）

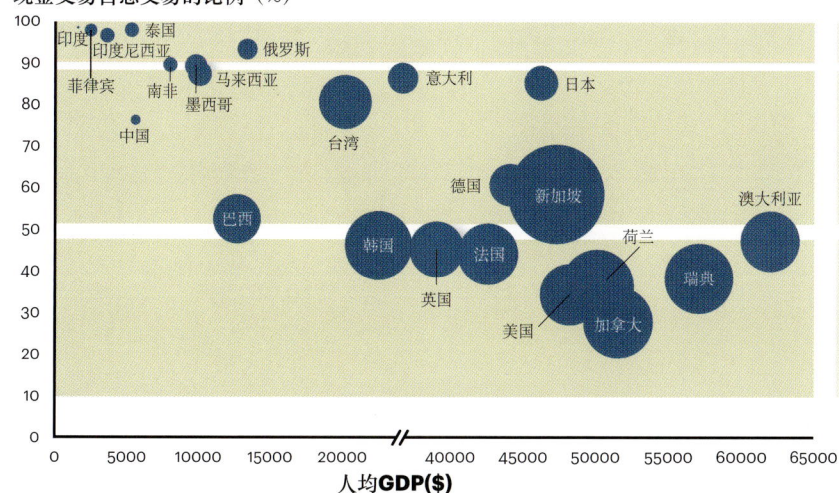

非现金支付增长预估
（年复合增长率，2012—2017年预估）

圆圈大小表示该国人均电子交易数量
100次电子交易/人

来源：世界银行，全球金融包容性数据库；国际清算银行，国际支付结算体系委员会，国际支付结算体系委员会（CPSS）成员国支付、清算和结算数据（"红皮书"）；欧洲央行官方网站；欧睿信息咨询；科尔尼分析。

---

[1] 实例请登录www.atkearney.com参阅Visa Europe，Friedrich Schneider和科尔尼联合发布的"The Shadow Economy in Europe, 2013"。
[2] 在本文中，我们对非现金支付的定义明确排除"易货交易"。

非现金支付的弊端

非现金支付在过去十年间取得了长足的进展。例如，信用卡和借记卡诈骗的数量因为EMV芯片卡的引入而显著下降，因为该芯片卡要求用户在交易时插入内含芯片的银行卡，并输入个人识别编号（PIN码）。此外，电子商务的发展使得商家能更好地支持增值服务，如优惠券、理财服务和退货处理等。同时，小额批量支付的成本也有了大幅度下降。比如工资直接存款和B2B交易、自动清算系统（ACH）等服务的支付效率很高，而且每笔交易的花费不到0.01美元。

然而，在几十年的摸索之后，科技仍没能创造出适合所有用途的完美的现金替代品，理由是现金的以下几大特点（见图2）：

- **简单**：顾客只需要从钱包中取出现金递给对方即可完成交易，无需输入密码、签名或者安排电汇。
- **可靠**：在关键时刻，读卡器和ATM机可能会读取失败，POS机的网络连接也可能会缓慢出现故障。
- **安全**：只有身上的现金可能会丢失，电子身份和卡号却可能被盗取并被用来实施欺诈活动。
- **私密**：现金很难追踪——而电子支付中，每笔交易的日期、时间、地点和商户类别代码都会被记录在案。
- **免费**：在顾客和商家看来使用现金几乎是免费的，他们往往会把支取现金花费的时间忽略不计。而电子支付服务会在收款和交易时收取一定的服务费。即使是那些提供智能手机收款服务的新晋公司，比如Square和iZettle，也会收取相对较高的手续费。
- **通用**：现金有央行担保，可以在任何时候、任何地点使用；互通性从来不是一个问题。相比之下，许多规模较小的商家不接受信用卡、借记卡或者只接受部分。

从便捷性、可靠性、安全性和私密性角度来看，非现金服务在五年后会变得更有竞争力。电子支付将变得更加便捷，带有NFC的智能手机上安装了电子钱包就可以像现金那样方便地付款。银行或移动运营商提供的电子钱包可以储存数张银行卡的信息，许多付款都可以直接用手机一扫或者用可穿戴设备的一个姿势即可完成，比如说谷歌眼镜或智能手表等。

图2
五年之后，非现金解决方案仍不会免费或被普遍接受

特征	现金	今天的非现金解决方案	五年后的非现金解决方案
简单	只需从钱包中取出	需要签名或输入密码	在NFC读取器上扫一下你的手机
可靠	总是管用	无法读卡；POS机联网速度缓慢	系统运行时间缩短，网络连接可靠性加强
安全	你只会丢失钱包里的现金	身份盗窃、IIN号码盗窃	新的加密和生物测定技术
私密	难以追踪；影子经济	每笔交易都记录在案	新隐私法；增加私密性的新技术
免费	从钱包中取钱无需花费分毫	向商家收取MDR费用；超过一定额度往往需要额外收费	
通用	随时随地都被接受	不被广泛接受（例如，小商家或不同支付系统的成员）	

注：PIN代表个人识别码；NFC代表近场通信；POS代表销售点终端机；IIN代表发卡机构识别码；MDR代表商家费率。
来源：科尔尼分析。

不仅如此，POS系统的故障停工时间会大大缩短，而且互联网连接的速度会更快，可靠性更强。由于加密和生物测定等用于防止诈骗的新技术的出现，电子支付也会变得更加安全。同时，随着法律的完善和拥有隐私保护功能的新技术的使用，它们在保护隐私方面也会做得更好。

然而，费用和普遍接受性方面的问题更难克服。

- 从费用的角度来说，现金从概念上来讲就有着电子支付所没有的天然优势。印刷纸钞、铸造硬币以及储存的费用是由一个国家的中央银行承担的，也是主权货币系统的固有成本。而电子支付系统是由私人企业，如发卡银行、收单银行、支付网络以及技术供应商等投资并开发的，每一方都希望实现股东回报最大化。

- 从普遍接受性的角度来说，电子支付市场是竞争激烈的战场，不同行业的竞争对手对相互合作持谨慎态度。由于银行的行动一向较为缓慢，它们将那些更灵活，且推出新颖的电子支付机制的公司看作是一种威胁。同样，全球支付网络，如Visa、万事达（MasterCard）以及美国运通（American Express）也急于保护它们在各个国家的统治地位。电信公司们希望利用它们的现有网络和零售网点来进入支付市场，但却发现这个市场的赢利不尽如人意，因为利润率比电信行业低得多。如谷歌、贝宝（Paypal）和脸谱网（Facebook）等替代方案供应商们则正在挑战现有的商业模式，试着收集宝贵的顾客意见和交易信息。

然而有时候，还是有一些公司选择了团队协作，这种既合作又竞争的关系，或者说所谓的"竞合策略（co-opetition）"的结果就是一些毫无秩序、互相覆盖，并且总是互不兼容的支付生态系统（参阅："竞合策略"的不足）。

总而言之，无现金支付距离系统互通和被普遍接受还很远。在现在和不久的将来，人们想要完全不使用现金，还要费不少周折，而且很可能以失败告终。他们需要分别向银行、无线运营商和零售商注册多个移动钱包，还要维持不同账户间的资产平衡。为了避免使用现金，有时他们甚至还需要承担信用卡的卡费并避免到不接受刷卡的小商户买东西，因为这些商户不愿接受较高的商家费率。

跨越最后的门槛

只有当封闭式的支付系统（即多个参与者为其投资的基础设施收租）被免费的、开放式的生态系统所替代，并允许顾客在任何情况下使用任何设备，比如手机、车钥匙、门禁卡、交通卡等，现金才有可能被完全替代。

免费的、开放式的生态系统的一个成功范例就是维基百科，它拥有200多种语言写就的1000多万篇文章。虽然面临种种困扰，但短时期内维基百科仍无可替代，亦无需创造一个类似物与其竞争。在智能手机市场，Android手机的市场份额已经超过苹果iOS系统，其根本原因就是任何制造商都可以使用Android系统。在互联网领域，谷歌和脸谱网的用户免费模式是取得成功的基石，它们通过其他赢利渠道，如广告、内容以及附加服务等来支持自己的核心服务。

大规模的现金替代需要一个免费的、开放式的生态系统，支持在任何情景下使用任何设备。

如果眼下这种自由放任的"竞合"不能带来令人满意的解决方案的话，又有哪些其他方式可以催生出一个免费的、开放式的非现金支付系统呢？

我们相信**政府监管**是打破障碍的必要之举。在这种情况下，一旦意识到使用现金的代价，政府和央行会积极争取无现金化社会带来的好处。因此，它们会大刀阔斧地引领变革，大规模地直接投资建设全国性的支付基础设施和支付平台（或者要求其他机构这么做），制定统一标准来确保协调性和互通性，并出台规定奖励合规做法，惩罚不合规行为。一些国家已经展现出了这种迹象。比如说，韩国政府通过允许顾客投诉不接受刷卡的商户等做法，大力推动非现金支付的普及。在澳大利亚，监管者正在鼓励银行积极创新，结果既产生了成功产品，也有失败案例，如BPAY，MAMBO和最近推出的实时支付。

另外一种可能的情况是由**供应商主导**的变革。在这种情况下，现有的（如银行或者电信运营商）或是新晋的参与者成为支付领域的区域性或全球性的主导力量。银行、电信公司、Paypal、谷歌、亚马逊、苹果和脸谱网都在试验新的模式，但是一个全新的参与者也有可能成功地颠覆整个市场格局。

"竞合策略"的不足

在"竞合"关系之中，诸如银行和电信公司等业内竞争者们组成联盟来分担成本，保护收入不被其他竞争者蚕食，并为消费者和整体经济带来好处。在新加坡，NETS——占主导地位的借记卡和POS电子自动转账系统——由三大主要银行，即星展银行、华侨银行和大华银行共同拥有。

然而，这种立足长远、战略性的业内合作可能因为私有企业短期内为股东带来回报的需要而分崩离析，这种需要与合作的模式有本质上的冲突，而且最终会导致竞争性的支付生态系统的产生（见图3）。事实上，新加坡的非现金支付市场是非常分散的。举个例子，你可以用NETS的借记卡买杂货。你可以为非接触式EZ-Link卡充值，在上班路上用这张卡缴纳过路费；也可以在标示有EZ-Link的商家处用同一张卡进行小额支付。你还可以使用Visa payWave信用卡（或者万事达PayPass信用卡）在线为咖啡付账或购物，也可以通过网上银行或移动银行支付账单。

图3
竞争性的支付生态系统加大非现金支付的接受难度

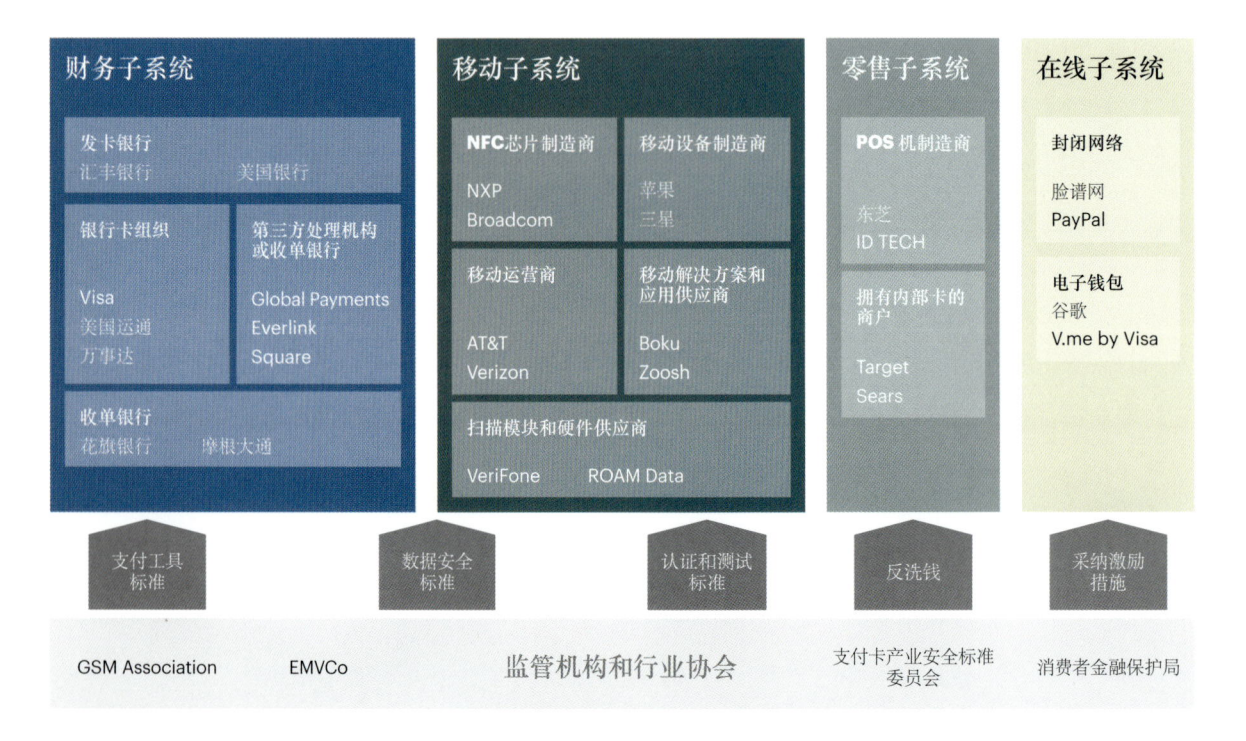

财务子系统	移动子系统		零售子系统	在线子系统
发卡银行 汇丰银行　美国银行	**NFC芯片制造商** NXP Broadcom	移动设备制造商 苹果 三星	**POS机制造商** 东芝 ID TECH	封闭网络 脸谱网 PayPal
银行卡组织　第三方处理机构 　　　　　　或收单银行 Visa　　　　Global Payments 美国运通　　Everlink 万事达　　　Square	移动运营商 AT&T Verizon	移动解决方案和 应用供应商 Boku Zoosh	拥有内部卡的 商户 Target Sears	电子钱包 谷歌 V.me by Visa
收单银行 花旗银行　摩根大通	扫描模块和硬件供应商 VeriFone　　ROAM Data			
支付工具 标准	数据安全 标准	认证和测试 标准	反洗钱	采纳激励 措施
GSM Association	EMVCo	监管机构和行业协会	支付卡产业安全标准 委员会	消费者金融保护局

注：NFC代表近场通信；POS代表销售点终端机。
来源：科尔尼分析。

利益相关方经验

不管无现金化的变革将如何上演，最终进入无现金化的世界要求所有的利益相关方都应采取新的理念、策略和商业模式。在这个新世界中，电子支付公司需要寻找各种渠道来创造收入。若它们成功做到了这一点，消费者接受度就会大幅增长，很快达到一个临界点，吸引更多人参与，而不是另立门户与现有系统抗衡。

政府与监管机构将担负起在一个日益电子化的世界维持金融稳定性的关键使命：防范新的安全威胁、规范新进参与者，以及（正如我们已经看到的）有力地确保跨地域和银行系统的互联性。因此，我们强调政府与监管机构必须在任何情景下的现金替代变革中发挥积极作用，正如最初积极建立现金系统一样。

全球支付网络必须适应**免费交易**的新世界。

银行作为金融账户的保管者，一直在支付生态系统中扮演举足轻重的角色。然而，银行绝不能因此而掉以轻心。在合规范围内，银行应该积极尝试，并与其他参与者合作进行创新。同时银行业应投资尝试新的解决方案、合作者和商业模式（例如，通过为客户提供客观的理财建议收费，而非对那些非增值性的服务收费），从而不断学习和积累经验。一旦现金被完全取代，银行就能够减少昂贵的基础设施并取消纸币和硬币的相关操作。在一个高度数字化的世界里，更加灵活应变的操作对银行来说也是十分重要的。

电信公司在提高电子支付渗透率和使用率方面有着天然优势，尤其是与银行密切合作的时候。电信业应利用其电信网络和基于云计算的IT技术来建立便捷、易于使用的平台和终端，同时利用其庞大的销售和经销商网络来提高偏远地区消费者的意识和理解。电信公司还应该试验创新的收入模式，如基于移动广告、忠诚计划和数据使用等。

全球支付网络（如Visa和MasterCard）应在一个交易免费的世界里，重新审视自己的商业模式，并进行创新；同时继续推出关键服务，如欺诈保护和大额支付保障等。例如，支付网络公司可以作为顾问为政府提供建议，努力减少全球范围内的电子诈骗，以及为消费者提供信息，并为行业参与者提供洞察观点。

其他参与者如谷歌、脸谱网和贝宝（PayPal）可以通过推出具有竞争力的电子支付服务来扭转局面（例如移动钱包或者电子货币），这些服务首先应当足够吸引消费者，然后再来考虑如何赢利。然而，它们也应该记住封闭系统与开放标准的系统相比，很有可能不会持久，也不会有广泛的吸引力，最终会被替代。

虽然面临着种种挑战，我们仍相信所有关键的利益相关方都会从减少使用现金中获利。清晰的愿景、强有力的监管和大力创新会让无现金化的未来更早到来。

作者

Naveen Menon，科尔尼全球合伙人，常驻新加坡办事处
电子邮箱：naveen.menon@atkearney.com

Henri Guedeney，科尔尼全球合伙人，常驻新加坡办事处
电子邮箱：henri.guedeney@atkearney.com

Joongshik Wang，科尔尼全球合伙人，常驻新加坡办事处
电子邮箱：joongshik.wang@atkearney.com

Khamphanh Kittikhoun，科尔尼董事，常驻吉隆坡办事处
电子邮箱：Khamphanh.kittikhoun@atkearney.com

Sridhar Narasimhan，科尔尼董事，常驻新加坡办事处
电子邮箱：Sridhar.narasimhan@atkearney.com

ATKearney

健康的企业转型——打造强大、灵活、精益型企业

转型是公司管理层热议的话题。如果公司能不拘泥于成本,并采用更均衡的方法,则可以将转型之力转化为解决未来问题的动力。

这样的故事我们并不陌生：一家公司面临行业新秀带来的激烈竞争，于是着手大刀阔斧精简其成本结构；或是一家企业疯狂地寻求协同效应，并决定整合几条业务线；再或是企业某重要部门人才持续流失，公司开始仔细复查该领域的领导集团和业务流程。

业务转型是多年来老生常谈的话题，但热议程度从未像过去十年般激烈。金融市场危机、技术突破、供应商整合或是令人失望的业务表现，这些仅是公司急切进行业务转型的一部分原因。以我们的经验来看，很多公司转型之初将提升重点放在某个或其他单一职能领域上，这样却远远不够。往往一开始进展不错，但这些做法迅速丧失效力，或者产生预想不到的意外后果，结果得不偿失。有些公司采用循序渐进、逐渐递增的方式——虽然有时受资源限制，必须采用这种方法——但这样做的结果可能并不理想，比如会缺乏连贯性、造成不必要的延期或是不能解决问题根源。还有些时候，精心设计的战略因公司执行力低下没有实现目标。

很多公司竭尽全力却屡屡受挫，因此急于找到一种协调有序的业务转型方法，以跟紧潮流，击败竞争对手。

新的转型方法

公司是复杂鲜活的有机体。正如豌豆般大小的脑垂体一旦失调，会影响一系列身体机能，而且器官移植需要系统地重新连接多条血管，公司某一领域的变化也会影响到周围的"组织"，甚至会产生系统性的重大影响。业务转型有如外科手术，必须仔细考虑不同部门的相互联系，选择最合适的工具和方法。

为实现这一目标，健康的转型方法如下：

- ①确定战略目标，根据该目标定义公司总体业务目标；②确定推动公司实现上述目标的价值之源；③确定能够促进公司创造上述价值的运营模式指导方针，从而将贵公司的战略转化为组织优势、灵活性和成本的最佳组合。
- 运营模式的不同构成模块实现协同，包括：

    ——结构和治理机制，例如组织架构和绩效管理方案。

    ——流程。

    ——技术支持（例如，实施流程自动化或挖掘并分析数据）。

    ——资源配置，包括公司的自制或外购模型，战略联盟和地理覆盖范围。

    ——能力和文化，包括培训项目和员工激励机制。

- 管理转型。激发员工的想象力、热情和员工忠诚度，将转型的责任转交给员工，确保公司可从当前现状转变至未来理想状态而且成果持久。（见图1）

均衡转化

很多公司的转型之初就坚决彻底地削减成本，结果变得太过精简，使公司弱小而迟钝。诚然，成本削减通常很有必要，其原因有：应对市场的压力，战胜结构和流程朝不增值方向发展的自然趋势，并重新恢复并保持它们的价值。但不能在何时何地都将成本削减作为转型的主要目标，否则会危害公司的竞争差异化因素——例如优质客户服务、产品质量或是迅速应对市场变化的能力——危及公司营业额。

正因如此，我们认为在一个健康的公司，精益、强大和灵活这三方面应得以平衡（见图2）。不仅要做出权衡取舍，在全公司这一层面实现强大实力、灵活性和精益性三方面的平衡，也要在事业部、业务部门和职能部门层面实现三方面的平衡。

图1
健康转型方法的框架

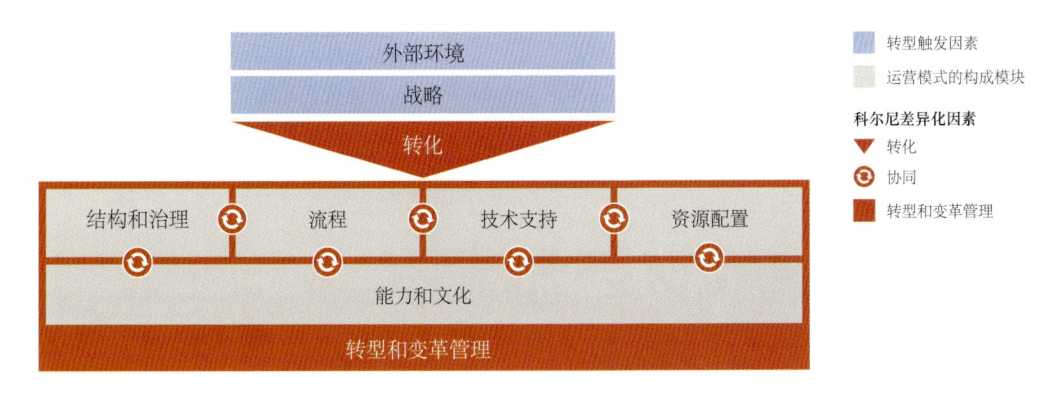

```
                    外部环境
                     战略
                      转化

  结构和治理    流程    技术支持    资源配置
                  能力和文化
                转型和变革管理
```

图例：
- 转型触发因素
- 运营模式的构成模块
- 科尔尼差异化因素
- ▼ 转化
- ↻ 协同
- 转型和变革管理

来源：科尔尼分析。

图2
健康的公司平衡强大实力、灵活性和精益性三者的关系

强大实力
培养深厚能力
- 最适合我们在市场中采用的运营模式是什么？
- 哪些能力让我们与众不同？
- 如何创造并维系高附加值的合作关系？
- 如何实现高人才保留率？

灵活
迅速响应市场动态
- 如何获得并运用深刻的消费者洞察？
- 我们的流程能否快速响应市场变化？
- 如何让员工更加灵活？
- 什么样的文化可以激发并推动创新？

精益
制定结构化成本优势
- 我们的实际运营成本具有竞争力吗？
- 如何精减人员而且不造成运营危机？
- 按照当前战略，如何合理地权衡成本和价值？
- 如何推动员工提高生产力？

来源：科尔尼分析。

为实现平衡，健康转型将战略视作触发因素和切入点，并仔细研究。战略方向必须正确，不过健康转型更关注战略的合理执行而不是战略设计。

公司首先要正确理解决定公司总体目标的战略目标，下一步要确定推动公司实现这些目标的价值之源。确定价值来源后，拟定公司运营模式的指导方针。系统地开展这一系列活动是界定合理转型范围的关键。

转化过程中，采用快捷方法可能会导致转型范围过窄，转型难以生效。或更糟的是，范围太宽泛，超出了组织范围。如果出现无法正常工作的情况，那么需要进行修正，但正如俗语所说，"如果没有彻底坏掉就不用管它"。一家大型政府机构曾经聘请我们协助开展二十多项举措，旨在改进公众服务。经过彻底检查之后，我们说服他们这样一个庞大的项目会弄巧成拙，因为这些举措对内部的干扰远远大于为公众带来的益处。最终，他们减少了40%的举措，以保证有所侧重、富有成效。

变革管理如果开展得当，将会给整个组织带来**可推广且持久的变革能力**。

公司发现有些时候如果他们注重培养深厚能力和市场响应性，就会自然而然地产生成本优势。这正是一家北美大型零售商的经历。他们发现公司没有能力更好地了解客户。几年来，他们每年花费近2000万美元请第三方公司为其开展焦点小组调查，结果却远远不尽如人意。意识到获得消费者反馈是一项关键能力后，他们决定打造强大的内部消费者研究部门。这家公司成立了一个15人的部门，设计出一款销售终端装置。这样一来销售人员便可快速地收集消费者现场反馈。现在这个部门已全面启用，公司每周都能收到150000份宝贵的消费者反馈——每年只需花费300万美元。

全面协同

从两个维度实现协同：

- 第一，运营模式中的不同**组成模块**要相互协同（见图3）。例如，资源配置决策（诸如地理覆盖范围，共享服务模式和外包）不只考虑成本，还考虑对于消费者体验的影响之类，其目的是与公司消费者服务战略保持一致。重新定义了业务流程特别是跨职能部门的流程之后，需要重新检查治理问题（例如决策权和效绩目标），以确保问责机制不受影响。而且，如果为了满足不同业务部门的需求而采用了分散的IT管理模式，那么则需要设立诸如委员会之类的协调机制，以保证协调配合并合理控制支持性成本。

图3
系统地考虑运营模块间的相互关系

举例

明确划定流程责任
对于跨越传统组织边界的流程，应明确其责任，以避免流程崩溃。

治理模式避免IT职能不合理地分散
地方或部门的IT决策应与企业战略一致，控制软硬件要求和支持性成本。

结构和治理 — 流程 — 技术支持 — 资源配置

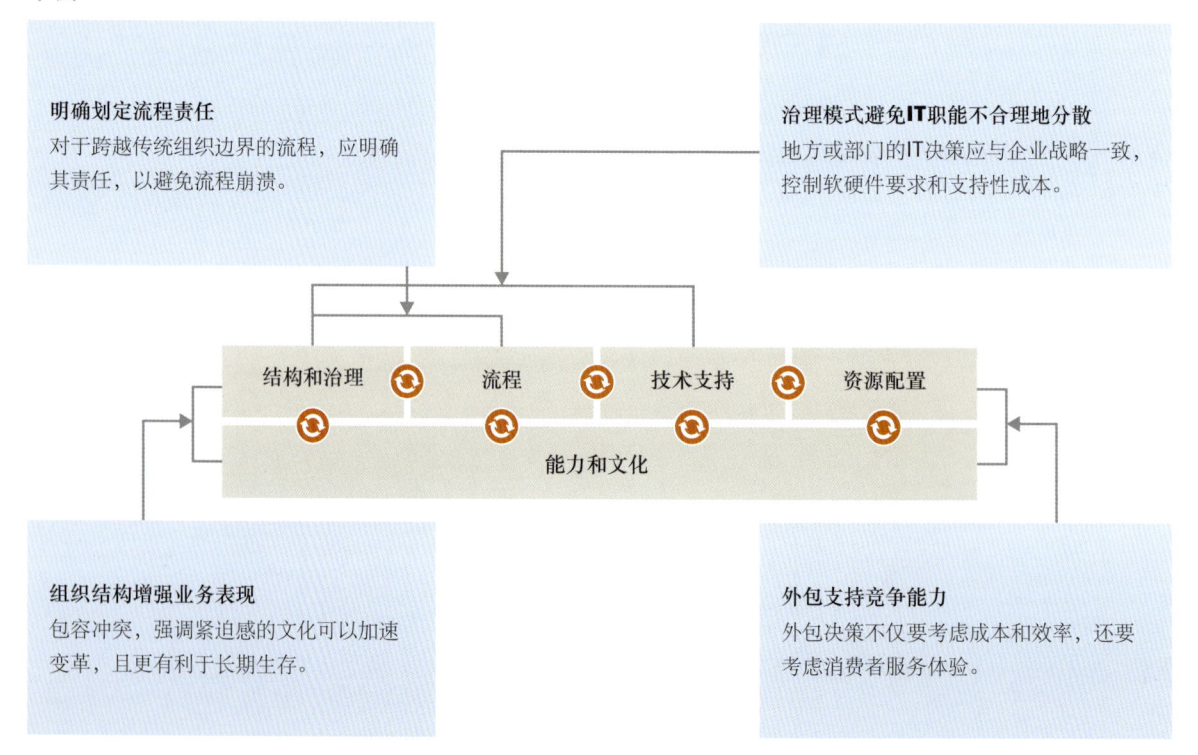

能力和文化

组织结构增强业务表现
包容冲突，强调紧迫感的文化可以加速变革，且更有利于长期生存。

外包支持竞争能力
外包决策不仅要考虑成本和效率，还要考虑消费者服务体验。

来源：科尔尼分析。

我们为一家全球性的石化产品制造商开展的供应链转型项目就充分展示了运营模式的不同构成部分之间的相互关联有多么重要。该公司制定了战略，目标是在竞争激烈的市场中应对增长的挑战，这就要求该公司构建领先的供应链，需要强力整合供应链规划、销售和运营规划、物流能力规划以及采购。重新设计组织结构和治理模式，明确责任这仅仅是开头。公司还需要从客户为中心的角度出发重新制定流程，实现由客户需求（而非产量）驱动流程。公司还需要调整供应链网络的资源配置，以缩短交货时间、提高交付可靠性。如果没有高效的技术辅助式的解决方案（拥有操作便捷的单点登录功能和全面的失效备援能力），这一切都无法实现。

- 第二，确保实现跨**职能部门**的协同，打破组织孤岛现象。转型项目执行过程中，可以利用一些技巧，诸如跨职能部门的研讨会和目标设定来实现协同。之后，可以利用一些机制，比如团队（而不是个人）目标制定，治理系统（例如在以职能为导向的机构中建立跨职能部门的B2B董事会）和轮岗制度，实现持久的协同。史蒂夫·乔布斯非常了解这一点。1997年回到苹果公司后，他围绕实际产品重组了产品研发部门。设计师、工程师、制造商、销售人员都向一个经理汇报。他还确保关键候选员工不仅要接受同一部门经理的面试，还要接受相关部门经理的面试。

  一家国际包装消费品公司的CEO决定以品牌而非国家来划定业务部门，他历经惨痛教训后才发现协同和一致的重要性。结果发现改变组织架构图——除了有些政治问题——还是很容易的。一年之后他向我们寻求帮助，此时他发现品牌经理所得到的信息依旧要比各国家团队晚六个月。我们会谈了他的员工，经访谈后我们发现，很多地区决策权并没有反映出重点已经转移到了品牌，而且供应链和信息技术系统也没有做出相应调整。

全面、合理的变革管理

仅是提到"变革管理"这一术语就会让人抱怨不迭。对于很多人来说，这个词让人联想到的是为了达到预期效果而开展不明确的新活动和精心安排的研讨会。对另一些人来说，这不过是领导为了向雇员推销最新一批企业举措而谈的想法。

但支持健康转型的变革管理绝不属于这两种。它是一种系统的、有所侧重的方法，通过识别并激活变革的引擎（正式的和非正式的），从一开始就让员工自上而下以及自下而上地参与其中，让员工有如感染"变革病毒"。（参阅：开展激发式变革）

该方法包括四个维度，以激发并植入变革（见图4）。

图4
变革管理让员工自上而下以及自下而上地参与

拓展变革的四个维度

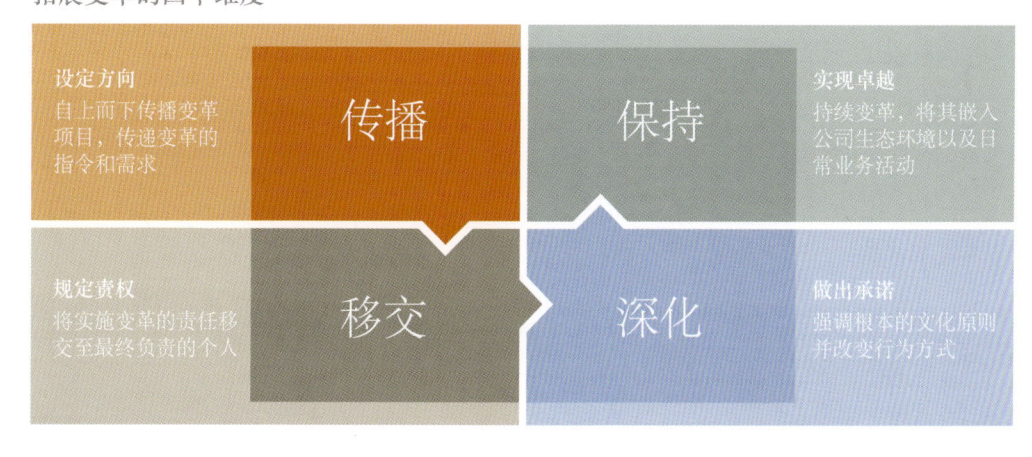

设定方向 自上而下传播变革项目，传递变革的指令和需求	传播	保持	**实现卓越** 持续变革，将其嵌入公司生态环境以及日常业务活动
规定责权 将实施变革的责任移交至最终负责的个人	移交	深化	**做出承诺** 强调根本的文化原则并改变行为方式

来源：Coburn, C.E.,《重新思考规模：跳出数字限制，实现深度持久变革》，《教育研究者》，32（6），3-12；科尔尼。

开展激发式变革

我们曾协助一家欧洲领先的健康保险公司重获竞争地位,我们一开始便知道这是个不小的挑战。复杂性、低效率让公司动脉阻塞,处处充斥着自满情绪。同时客户满意指数和财务状况都急剧下跌。公司急需采取行动,重整组织。

董事会的坚决承诺无疑是一项基本要求。他们不只在变革开始阶段表现出决心,在项目进行过程中也一直积极参与——参加两周一次的会议,传达项目信息,甚至替换不配合项目的主管和经理。

同时,我们激励员工,不断向他们强调重点在于交付给客户的成果,成本效益是顾客为本的方针所派生出的成果。此外,我们帮助员工理解他们的工作对客户体验的影响。我们在重组流程时,还邀请了一些顾客,让他们提供意见。

我们让最好的员工加入流程创新团队——该团队在企业层级之外——不需参与日常工作。我们这样就创造了一个安全的环境,让他们提出突破性的改进意见,同时帮助他们培养自身能力,并让他们成为带动公司员工展开变革的动力。

最后,我们组织了一系列非正式活动,让全国各地100多名员工参与变革的推进。这样便提供了积极的环境,员工们可以在共同目标的基础上相互加深感情。

没错,为这家健康保险公司开展激发式变革的成本很高,但回报也很大。

传播。这一维度确定了变革的方向和需要。高管制定了一个明确的变革愿景和迫切的变革理由,沟通愿景、安排工作、分配资源,并审查结果。高层必须亲自参与,活动过程清晰可见。

移交。让员工感到自己是变革流程的一部分,让员工具有实现变革的责任感。这通常意味着要跳过"告知、指导"环节,取而代之的是让员工尽早参与,让他们在工作上和情感上均投入变革。

一家重工企业的高管就将这一点付诸实践。他们设计了新的运营模式,但只完成了90%,之后将任务移交给其他人,让他们完成剩下的10%,但同时还保留了一定的灵活性,让他们可以质疑原有的设计。

一家医疗保健公司的转型项目需要董事会成员和所有运营管理层的领导参与,覆盖一万多人的员工网络。主要业务单元的领导除了完成他们的职责之外,被分配到了跨职能部门的项目小组。他们一共开展了近11个自主开展的项目,总部只起到领导而非推动作用。

深化。深化这一维度旨在改变员工的态度和行为,而不只是他们完成具体任务的方法,这样可以推动员工切实、全情地投入变革。为了有效实现这一目标,公司需要投入大量时间和精力,了解员工承诺从何而来,以及他们需要什么才能成功。健康变革采用一系列的干预活动——文化评估、非正式网络分析和行为转变策略以及其他方法——来管理软性元素,确保变革可以深入进行。大力投入深化变革的公司往往都能取得令人满意的成果。

保持。最终,要将生态系统和监控体系牢牢植入公司内部,这样变革便可生根。要将变革项目筹资纳入常规的预算流程,实施持续改进方法,并监测长期成果。

我们为之前提到的一家石化企业的变革小组提供了培训设计标准,帮助他们制定技术指导材料。他们依照我们的建议设计并建立了一个参考文档数据库,并在组织内部设立了学习中心。

变革管理如果执行得当,将给整个机构带来可推广的变革能力,影响将远远超越速见成效的变革项目。

为未来做好准备

健康转型是一项复杂的事业,但如果由经验丰富的从业者来实施,也是可以掌控的。

深入了解所处行业动态和公司面临的战略挑战,则可以确保转型覆盖了所有方面,——而又不会超过所需或者超过了组织的吸收能力。准确诊断并深刻了解了公司不同部门的运作方式之后,制订出达到理想状态的计划。通过让团队成员积极参与问题诊断、讨论理想的结果和方案、理解怎么做和为什么这样做、并落实方案,那成功果实便触手可得了——不仅是短期成果,而是影响未来的长期成果。